Philip K. Dick

Blade runner

Czy androidy marzą o elektrycznych owcach?

Przełożył
Sławomir Kędzierski

Dom Wydawniczy REBIS
Poznań

Tytuł oryginału
Do Androids Dream of Electric Sheep?
Copyright © 1968, Philip K. Dick
Copyright renewed © 1996, Laura Coelho, Christopher Dick, Isolde Hackett
All rights reserved

Copyright © for the Polish edition by
REBIS Publishing House Ltd., Poznań 2007, 2012

Redaktor serii
Radosław Kot

Redaktor
Grzegorz Dziamski

Copyright © 2011 for the illustrations by
Wojciech Siudmak

Opracowanie graficzne serii
Wojciech Siudmak
www.siudmak.com

Rysunki i obraz na okładce
Wojciech Siudmak

prawolubni

Wydanie III poprawione (dodruk)
Poznań 2018

ISBN 978-83-7510-131-7

9 788375 101317

Dom Wydawniczy REBIS Sp. z o.o.
ul. Żmigrodzka 41/49, 60-171 Poznań
tel. 61-867-47-08, 61-867-81-40, fax 61-867-37-74
e-mail: rebis@rebis.com.pl, www.rebis.com.pl

Skład: Sławomir Folkman / www.kaladan.pl

Genialny dziwak
z Kalifornii

Philip K. Dick (1928–1982) jest — nie tylko moim zdaniem — jednym z największych pisarzy drugiej połowy dwudziestego wieku w Ameryce i na świecie. Nikt nie chce już czytać laureatów Nagrody Nobla, Hemingwaya i Steinbecka, o laureatach Nagród Pulitzera nie ma nawet co mówić, podczas gdy o Dicku pisze się prace magisterskie i doktorskie na całym świecie. Nic nie zapowiadało tej jego pozycji. W szkole nie był orłem, z college'u wyskoczył po paru miesiącach, pracował, też nie za długo, w sklepie z płytami i stąd jego znajomość muzyki poważnej i wiedza o tej muzyce czerpana z okładek albumów. Jego młodość przypada na czasy hippisów, „dzieci kwiatów", pochwały nieróbstwa, rozwiązłości płciowej i zażywania narkotyków, zalecanych przez dyplomowanych psychologów jako sposób na „rozszerzanie świadomości", jak nazywano halucynacje. Umieszczona w świecie kalifornijskich ćpunów powieść *Przez ciemne zwierciadło* kończy się listą przyjaciół pisarza, którzy zmarli lub zostali inwalidami na skutek brania narkotyków. On dożył 54 lat, przez całe dorosłe życie zażywając dawki, które zabiłyby słonia. To tylko jedna z jego osobliwości.

Pisanie zaczął od powieści realistycznych w stylu swojego czasu — połowy dwudziestego wieku. Coś w rodzaju socrealizmu Johna Steinbecka z *Tortilla Flat*, utwory o ludziach biednych zaprawione ciężką psychologią. Nikt nie chciał tego czytać, a tym bardziej wydawać.

I wtedy Dick odkrył dla siebie świat fantasy i science fiction. Tandetne pisemka drukowane na podłym papierze (przysłowiowe *pulp fiction*) brały wszystko i płaciły po trzy centy za słowo. Tyle, żeby starczyło na jedzenie ze sklepu dla psów. W roku 1955 w Londynie wydano Dickowi pierwszy tom zebranych opowiadań (w sztywnej oprawie) i pierwszą powieść — *Słoneczną loterię*.

SF, często zasłużenie, była w Ameryce uważana za literaturę podrzędną. Kiedy napiszesz coś poważnego? — pytano Dicka. A przecież pisał najpoważniejsze powieści drugiej połowy dwudziestego wieku. Pisał o Bogu, brał się za bary z definicją człowieka, usiłował złowić wymykające się umysłowi pojęcie rzeczywistości.

Kto inny mógłby napisać piękną i mądrą powieść o walce z drugim prawem termodynamiki. Osiemnastowieczni masoni deiści wierzyli, że Bóg wprawdzie stworzył świat, ale potem poszedł sobie na ryby, zostawiając go na łasce filozofów twórców konstytucji. W teologii Dicka Bóg jest wszechobecny (*ubique*, stąd tytuł *Ubik*)… w swoim dziele i nieustannie, codziennie utrzymuje je w stanie używalności, dając mu zastrzyk energii ze swojego niewyczerpanego źródła. Bohaterowi powieści świat rozpada się w oczach, więdnie jak nie podlana roślina doniczkowa. Po ulicach jeżdżą coraz starsze rozklekotane samochody, wszystko wokół psieje. Nasz bohater szuka dla chorego świata lekarstwa, tytułowego Ubika. Raz ma on postać proszku, innym razem płynu — trzeba wypatrywać etykiety ze znajomym słowem wśród tysięcy produktów na rynku. Kłania się tu inna teoria Dicka, teoria Boga zebry, zamaskowanego, ukrytego wśród rzeczy zwyczajnych. On jest wszędzie, jak wskazuje nazwa Ubik, jest wszechobecny, ale większość ludzi go nie zauważa. Po zastosowaniu Ubika świat prostuje się jak podlana roślina, wraca do właściwego kształtu.

Jak to u Dicka, bohater jest niepozornym, zwykłym człowiekiem, na którego spadają niezwykłe obowiązki. Tutaj staje się on szafarzem boskiej energii potrzebnej do funkcjonowania świata. Jednak dla poważnej krytyki literackiej Dick był niewidoczny z powodu hańbiącej etykietki science fiction, a dla amerykańskich miłośników science fiction był jakiś inny, nie pasował do oczekiwań. Dzięki temu, że tak zwany fandom, czyli królestwo autorów i miłośników SF, wyprzedzając Internet, stanowiło bractwo o zasięgu światowym, Dicka znaleźli, przekopawszy tony papieru, Francuzi, Japończycy i nasz Stanisław Lem, który w Ameryce miał status zagadkowego guru z lasów i bagien egzotycznej Europy Wschodniej.

Powieści i opowiadania Dicka mają bardzo nierówny poziom. Lawrence Sutin, autor jego znakomitej biografii, ocenił wszystkie utwory Dicka w skali dziesięciopunktowej i wystawił im stopnie od dwóch do dziesięciu. Czytelnikowi nie znającemu twórczości Dicka polecałbym przeczytanie co najmniej trzech rzeczy z górnej półki: *Człowieka z Wysokiego Zamku*, *Ubika* i *Blade runnera*, żeby wejść w świat pisarza niejako od góry. Potem, jeżeli czytelnik złapie bakcyla Dicka, będzie rozpoznawał perełki myśli, stylu i humoru nawet w słabszych utworach.

Zmuszony niejako przez życie do pisania science fiction, traktował ją z dystansem i humorem. Może ten brak powagi w traktowaniu rekwizytów z przyszłości mieli mu za złe typowi czytelnicy tej literatury. Gadające automaty, taksówki wypowiadające się na temat małżeństwa wprowadzają element humoru trochę jak przedstawiciele prostego ludu w tragediach Szekspira.

Dick jako człowiek był co najmniej dziwakiem ze skłonnościami paranoicznymi. Przez całe życie „niósł" ze sobą na przykład siostrę bliźniaczkę, która zmarła w niemowlęctwie. Wszystkie jego żony — a miał ich pięć — miały typ urody jego siostry, tak jak ją sobie wyobrażał, a po śmierci kazał się pochować we wspólnym z nią grobie. Jego paranoja ujawniła się choćby w tak zwanej aferze z Lemem. Stanisław Lem polecił Wydawnictwu Literackiemu *Ubika* — pierwszą w Polsce powieść Dicka. Ten, zobaczywszy astronomiczny jak na stosunki amerykańskie nakład, wyobraził sobie, że zostanie bogaczem. A kiedy dowiedział się, że po honorarium w niewymienialnych złotówkach musiałby przyjechać do Krakowa, uznał, że Lem go okradł, a w ogóle cała sprawa jest spiskiem KGB. Napisał w tej sprawie długi donos do FBI, którego skądinąd nie lubił. Wszystko mogło wzbudzić jego podejrzenia. Po obejrzeniu *Łowcy androidów*, pierwszego i jedynego filmu nakręconego na podstawie jego powieści, który zdążył zobaczyć, uznał, że grający bezlitosnego tytułowego łowcę Harrison Ford dostał zlecenie i na niego. Choć przecież Dick androidem nie był, wprost przeciwnie.

W przemówieniu z roku 1978, zatytułowanym bardzo po dickowsku „Jak zbudować Wszechświat, który nie rozpadnie się po dwóch dniach", pisarz wymienił dwa dręczące go pytania:

co to jest rzeczywistość i co to jest człowiek. To drugie jest tematem *Blade runnera* i żeby na nie odpowiedzieć, stworzył Dick człowieka sztucznego, podobnego do prawdziwego jak dwie krople wody, ale pozbawionego tego najważniejszego — tego, co decyduje o człowieczeństwie. Przeciwstawieniu człowieka prawdziwego i sztucznego, niby-człowieka, androida, poświęcił pisarz dwa wystąpienia: „Android i człowiek" (Vancouver 1972) i „Człowiek, android i maszyna" z roku 1976. Przy czym nie interesowała go możliwość stworzenia sztucznego człowieka, czym stale się zajmują szaleni następcy doktora Frankensteina, ale odczłowieczenie ludzi we współczesnej cywilizacji, zejście na poziom robotów, powtarzających wyuczone ruchy, słowa i zachowania.

Wszechwładna telewizja spotęgowała proces robotyzacji człowieka, który kilkadziesiąt lat temu zauważył i opisał wizjoner Dick (Stanisław Lem zatytułował swój szkic o nim *Wizjoner wśród szarlatanów*). Często powtarzane przez niego słowa to „podróbka", „erzac", „maska", „blef". Symbolem tego zjawiska może być popularne na całym świecie karaoke, już nie tylko amerykańskie impersonacje Elvisa czy występy sowicie opłacanych idoli poruszających na estradach ustami do swoich starych nagrań. Dick nazwał to „ginącym ptakiem autentycznego człowieczeństwa".

W powieści *Blade runner* sztuczni ludzie to nie poczciwe roboty Asimova z wmontowanymi bezpiecznikami moralności zwanymi trzema prawami robotyki. Androidy Dicka są groźne, bo są kłamstwem, wyglądają jak ludzie, ale brakuje im człowieczeństwa — poczucia winy, współczucia, sumienia. Studiując materiały historyczne do *Człowieka z Wysokiego Zamku*, Dick uświadomił sobie, że takie istoty już kiedyś stworzyli

hitlerowcy. „Pomyślałem, że żyją wśród nas dwunogie humano-
idy, morfologicznie identyczne z ludźmi, ale nie będące ludźmi...
że w naszym gatunku nastąpił podział na autentycznych ludzi
i coś, co ich naśladuje".

Łowca zbiegłych androidów Rick Deckard poddaje je testowi na współczucie. Istoty niezdolne do współczucia likwiduje.
Tylko co dzieje się z j e g o współczuciem? Powieściowa religia
Wilbura Mercera umożliwia „doładowanie" uczuć za pomocą
„pudła empatii".

W znakomitym filmie Ridleya Scotta jednoznaczne potępie-
nie sztuczności podmieniono — zastąpiło je dążenie do godzenia
przeciwieństw i obowiązkowego hollywoodzkiego happy endu.
Znikła też gdzieś ważna przecież w tym świecie religia. Wiadomo, że autor siódmej i ostatniej wersji scenariusza nie tylko nie
czytał powieści, ale nie czytał też pierwszej wersji samego scenariusza. Witajcie w Hollywood! Z Dicka pozostało jednak to
niezwykłe emocjonalne pytanie o istotę człowieczeństwa i sam
pisarz film zaakceptował.

Film, choć piękny, naruszył w paru miejscach logikę powieści.
Zamiast spustoszonego przez jakąś katastrofę świata, w którym
żywe zwierzę jest skarbem, mamy tętniący życiem świat przelud-
niony. Zamiast zarażenia się łowcy robotów złem mamy sytuację odwrotną: uczłowieczenie androida, który umierając, ratuje
życie człowiekowi — prześladowcy. To wzniosłe, ale niezgodne
z filozofią Dicka, zawsze przeciwną sztuczności i podróbkom.

Tworząc swoje fantastyczne, a nawet szalone wizje, Dick zarazem trzymał się blisko rzeczywistości. Wszystkie jego postacie,
czy to prezes kuli ziemskiej, czy podrzędny android, a nawet
przyśrubowany na stałe do fotela automatyczny taksówkarz, są
wzorowane na postaciach znajomych i sąsiadów pisarza. Charak-

terystyczne, że kiedy pewien bogacz zbudował sobie na Marsie replikę Waszyngtonu, to była to wierna kopia stolicy Stanów z roku, w którym Dick mieszkał w niej w dzieciństwie. Nie wiem, czy jest w światowej literaturze drugi pisarz, u którego równie znaczącą rolę odgrywałyby rzeczy. Takie emocjonalne podejście do przedmiotów, czasu i miejsca, w którym je dostrzegamy, do ich wzajemnych stosunków — występuje u ludzi chorych psychicznie. Albo u poetów. Thomas Disch, wskazując na podobieństwo twórczości Dicka do poezji Blake'a i Shelleya, cytuje znaną sentencję Blake'a o dostrzeganiu całego świata w ziarnku piasku. Dla Dicka takimi ziarnkami piasku stają się przedmioty, które w pewnych sytuacjach nabierają niezwykłego znaczenia, stają się sygnałami, znakami czasu, innej rzeczywistości, niekiedy wcieleniami Boga. Wisiorek wykonany przez Franka Finka w *Człowieku z Wysokiego Zamku* w pewnym momencie staje się kluczem pozwalającym panu Tagomiemu doznać ulotnej epifanii — objawienia innej, prawdziwej rzeczywistości. W powieści *Valis* wisiorek z rybą jest zwiastunem dziwnych zjawisk, stopniowego ujawniania się świata pierwszych chrześcijan, który współistnieje z naszym i jest światem prawdziwym, zasłoniętym przed nami diabelską ułudą rzekomych dwudziestu wieków historii.

Przedmioty występują też u Dicka w roli ważnej, choć niekoniecznie metafizycznej, jako znaki czasu i miejsca. Szczególnie wydaje się bawić pisarza myśl, że ludzie przyszłości mogą kolekcjonować rzeczy otaczające nas na co dzień, które po wykorzystaniu wyrzucamy. W takiej roli występują w *A teraz zaczekaj na zeszły rok* puste opakowania lucky strike'ów z roku 1940 czy malowidła ścienne z amerykańskich urzędów pocztowych. Wprowadzając określone przedmioty lub produkty (gatunki wina czy whisky), Dick zaopatruje je na ogół w informacje na temat ich pochodzenia, historii itp. – widać, że traktuje je z uwagą i szacunkiem.

Są też przedmioty niepotrzebne, denerwujące, plączące się pod nogami, które Dick określa zbiorową nazwą kipli (w polskim przekładzie trafnie nazwanych chłamem). W odróżnieniu od przedmiotów ważnych, a nawet świętych, są one wysłannikami królestwa rozkładu, sił entropii. Kiple nie mają duszy, ale żyją jakimś swoim życiem, a przynajmniej się rozmnażają. Należą do nich puszki po coca-coli, butelki po piwie, przeczytane gazety. Ze wszystkich mniej lub bardziej szalonych teorii Dicka teoria kipli jest najśmieszniejsza i niewątpliwie najbliższa doświadczeniu przeciętnego czytelnika.

Osobna historia to wszelkiego rodzaju gadające automaty i roboty – niejako specjalność Dicka. Trzeba pamiętać, że Dick, jak sam twierdził, słyszał tajemnicze głosy od jedenastego roku życia. Nie zajmujemy się tu roztrząsaniem kwestii, czy miał przebicia w mózgu, czy tylko superczuły słuch. Rzecz w tym, że fantastyczny świat powieści Dicka nie różni się zbytnio od świata, w którym pisarz spędził prawie całe życie. *Ubik* zaczyna się od awantury z drzwiami, które nie chcą się otworzyć bez wrzucenia monety:

– Pieniądze, które ci daję, to w gruncie rzeczy napiwek, nie mam obowiązku ci płacić!

– Jestem odmiennego zdania – odparły drzwi.

I tak dalej, włącznie z groźbą zaskarżenia bohatera do sądu. W rozmowy z pasażerami nieustannie wdają się automatyczne taksówki. W *Bożej inwazji* na moment przed zderzeniem taksówka wydaje okrzyk przerażenia. W *Druciarzu galaktyki* mamy gadające łóżko, które zwalnia z obowiązkowych widzeń sennych tylko w razie kopulacji. Nie było sensu spierać się z wkurzonym meblem, stwierdza zrezygnowany bohater. W tej samej powieści mamy też robota erudytę o zainteresowaniach teologicznych, który chce zostać pisarzem. To bardzo amerykańska postać. W USA co druga kelnerka pisze wiersze i szuka kogoś, kto zechce je przeczytać, a co drugi sprzedawca hot dogów, zwłaszcza w Kalifornii, czeka na angaż do filmu.

Przez parę lat modna była teoria każąca rozpatrywać utwór literacki jako rzecz samą w sobie. Tymczasem twórczości Dicka nie sposób zrozumieć w oderwaniu od jego życia. On rzeczywiście „słyszał głosy". Później doszły do tego narkotyki w dużych ilościach. Twierdził, że przeszył mu głowę liliowy promień z nieba. Każdemu może się coś takiego zdarzyć, nawet po zwykłej wódce, tylko że Dick zaczął nagle rozumieć grekę koine i podał lekarzom prawidłową łacińską nazwę choroby syna, którego leczono na co innego. On naprawdę wierzył, jak twierdzą jego przyjaciele, że zobaczył przebijającą spod naszego świata rzeczywistość roku siedemdziesiątego po Chrystusie, i uznał, że cała historia od tego czasu jest chytrze podsuniętą nam propagandą. Co najmniej podejrzewał też, że Imperium Rzymskie wcale nie upadło, tylko dla niepoznaki podzieliło się na dwie części, USA i Związek Radziecki, które udają, że ze sobą walczą.

I co z takim zrobić? Tłumaczenie odmienności chorobą psychiczną jest tak łatwe, że bywa nadużywane. W Związku Sowieckim negowanie uroków przodującego ustroju uznawano za objaw schizofrenii bezobjawowej. Przypadek Dicka próbowano wyjaśnić za pomocą jednostki chorobowej nazwanej epilepsją płatu skroniowego (*temporal lobe epilepsy*), której nosicielami mieli być też van Gogh, Dostojewski i Lewis Carroll. Gdyby to było zaraźliwe, artyści słowa i pędzla staliby w długiej kolejce, żeby się zainfekować. Dicka zresztą można nazwać Dostojewskim science fiction. Był szalony jak twórca kosmonautyki Ciołkowski, jak radiotechnik samouk Tesla. Był jakby trochę przeniesiony z dziewiętnastego wieku, nie dojadający zapoznany geniusz tworzący na strychu arcydzieła, które może ktoś kiedyś doceni. Jego umysł wypełniały kłębiące się teorie, które sam zaopatrywał wielkimi znakami zapytania. Byłoby wielkim nietaktem, gdybyśmy spróbowali wyjaśnić Dicka do końca i zabrali mu ten znak zapytania. Pozostańmy więc przy formule, która dobrze podsumowuje jego spojrzenie na świat:

Jak złożymy wszystko, co wiemy, to widzimy tylko, że coś tu nie gra. Ale jak pięknie i ciekawie nie gra.

Lech Jęczmyk

Dla Maren Augusty Bergrud
10 sierpnia 1923–14 czerwca 1967
Auckland

Wczoraj zdechł żółw, którego w 1777 roku ofiarował królowi Tonga słynny podróżnik kapitan Cook. Zwierzę żyło niemal 200 lat. Żółw, zwany Tu'Imalila, zdechł na terenie królewskiego pałacu w stolicy Tonga, Nuku, na wyspie Aloga. Naród tongański uważał zwierzę za wodza; do doglądania go wyznaczono specjalnych opiekunów. Żółw oślepł kilka lat temu podczas pożaru buszu. Radio Tonga poinformowało, że ciało Tu'Imalili zostanie przesłane do Muzeum Aucklandzkiego w Nowej Zelandii.

Reuter, 1966

Rozdział I

Ricka Deckarda obudził przyjemny, delikatny impuls elektryczny automatycznego budzika wysłany przez stojący przy łóżku programator nastroju. Zdziwiony — zawsze go dziwiło, że raptem wcale nie chce mu się spać — wstał z łóżka ubrany w wielobarwną piżamę i przeciągnął się. Jego żona Iran, leżąca w swoim łóżku, otworzyła szare, niewesołe oczy. Mrugnęła, jęknęła cicho i znowu zamknęła powieki.

— Nastawiłaś swojego penfielda na zbyt słaby impuls — powiedział Rick. — Przeprogramuję go, obudzisz się i...

— Nie dotykaj mojego programatora. — Jej głos był nieprzyjemnie ostry. — Wcale nie chcę się obudzić.

Przysiadł na skraju łóżka, pochylił się i zaczął ją łagodnie przekonywać:

— Jeżeli zaprogramujesz odpowiednio silny impuls, będziesz zadowolona, że się obudziłaś. Na tym polega cała sprawa. Przy ustawieniu na pozycję C impuls odblokowuje świadomość. Wiem to po sobie. — Przyjaźnie, bo czuł się życzliwie usposobiony do całego świata (j e g o programator ustawiony był na D), poklepał jej nagie, nie opalone ramię.

— Trzymaj łapy przy sobie, glino — burknęła.

— Nie jestem gliną. — Poczuł przypływ irytacji, choć wcale go nie zaprogramował.

— Jesteś jeszcze gorszy — oznajmiła żona. Oczy miała zamknięte. — Jesteś mordercą wynajętym przez gliny.

— Nigdy w życiu nie zabiłem ludzkiej istoty. — Jego irytacja potęgowała się, przechodziła w wyraźną wrogość.

— Tylko te biedne andki — odparła Iran.

— Przypomnę ci, że nigdy nie wahałaś się wydać żadnej nagrody, którą dostałem za tę robotę, na pierwszą lepszą rzecz, jaka ci wpadła w oko. — Wstał i podszedł do konsoli swego programatora nastroju. — Należało oszczędzać na prawdziwą owcę zamiast tej elektrycznej imitacji. Zwykłe, elektryczne zwierzę za moje z trudem przez lata zarobione pieniądze. — Zawahał się, czy zaprogramować trankwilizację międzymózgowia (która stłumiłaby jego wściekłość), czy też stymulację (co z kolei podrażniłoby go wystarczająco, żeby wygrał tę sprzeczkę).

— Jeśli nastawisz na większą agresję — oznajmiła Iran, patrząc nań uważnie — zrobię to samo. Nastawię na maksimum i będziesz miał taką pyskówkę, przy której zbledną wszystkie nasze dotychczasowe sprzeczki. No, spróbuj. — Wstała gwałtownie, podskoczyła do swego programatora nastroju i stanęła, wpatrując się w Ricka wściekłym wzrokiem.

Westchnął. Jej groźba podziałała.

— Nastawię to, co mam zaplanowane na dziś. — Odszukał w tabeli 3 stycznia 2021 roku i zobaczył, że przewidziana jest

Z sypialni dobiegł go głos Iran:

— Przed śniadaniem nie trawię telewizji.

— Nastaw 888 — powiedział Rick, czekając, aż aparat się nagrzeje. — Pragnienie oglądania telewizji, bez względu na to, co w niej nadają.

— Nie mam teraz ochoty nastawiać czegokolwiek — odparła Iran.

— No to wybierz 3.

— Nie mogę nastawić programu, który pobudzi w mojej korze mózgowej pragnienie nastawiania! Jeżeli nie chcę nastawiać, to przede wszystkim nie chcę nastawiać, a chęć nastawiania jest mi w tej chwili bardziej obca niż cokolwiek innego. Chcę po prostu siedzieć na łóżku i gapić się w podłogę. — Jej głos stawał się ostry i ponury, jakby powoli zastygała jej dusza. Iran zamarła, zdawało się, że opadł na nią olbrzymi ciężar wyczuwalnej wszechobecnej warstewki niemal całkowitego bezruchu.

Podkręcił dźwięk w telewizorze i Przyjacielski Buster ryknął na cały pokój:

— ...hej, hej, kochani. A teraz pora na krótką prognozę pogody. Satelita *Mangusta* informuje, że opad radioaktywny nasili się szczególnie koło południa, po czym będzie się zmniejszał. A więc ci z was, którzy odważą się wyjść...

Iran pojawiła się obok niego w długiej, wlokącej się po ziemi koszuli nocnej i wyłączyła telewizor.

— W porządku, poddaję się — powiedziała. — Nastawię. Nastawię, cokolwiek zechcesz. Może ekstatyczny orgazm? Czuję się tak paskudnie, że zniosę nawet to. Do diabła. W końcu co za różnica.

— Nastawię dla nas obojga — odparł Rick i zaprowadził ją z powrotem do sypialni. Tam zaprogramował na jej konsoli 549 — pełne zadowolenie z uświadomienia sobie wszechwiedzy męża.

Na swojej konsoli nastawił twórczy, odważny stosunek do pracy, choć w gruncie rzeczy nie musiał. Była to jego cecha wrodzona, nie potrzebował sztucznego pobudzania mózgu.

Po zjedzonym w pośpiechu śniadaniu — stracił czas na dyskusję z żoną — wyjechał ubrany do wyjścia (miał również na sobie Ołowiane Ochraniacze Mountibanka model Ajax) na dach, gdzie na osłoniętym pastwisku „pasła się" jego elektryczna owca, wymyślna skomputeryzowana maszyneria do nabierania innych mieszkańców budynku.

Oczywiście niektóre z ich zwierząt niewątpliwie również były elektronicznymi imitacjami. Rzecz jasna nie wtykał nosa w te sprawy, tak jak oni, jego sąsiedzi, nie interesowali się zasadami działania jego owcy. Takie zachowanie byłoby nad wyraz niegrzeczne. Pytanie „Czy pańska owca jest prawdziwa?" stanowiło większy nietakt niż próba dowiedzenia się, czy czyjeś zęby, włosy albo organy wewnętrzne są autentyczne.

Na Ricka buchnęło, drażniąc powonienie, szare, pochmurne powietrze z wirującymi pyłkami radioaktywnego kurzu. Mimowolnie wciągnął nosem ten ślad śmierci. No nie, to zbyt mocne określenie, uznał, idąc w stronę fragmentu trawnika, który należał do niego wraz ze znajdującym się poniżej nazbyt wielkim mieszkaniem. Wpływ tego akurat dziedzictwa Ostatniej Wojny Światowej wyraźnie zmalał: ci, którzy nie przeżyli opadu radioaktywnego, odeszli w niebyt przed wieloma laty, pył zaś — słabszy i oddziałujący na silniejsze, uodpornione jednostki — jedynie degradował umysł i właściwości genetyczne. Mimo ołowianych ochraniaczy kurz niewątpliwie dzień po dniu osiadał na skórze i przedostawał się do wnętrza Ricka. Niewielkie dawki plugawej nieczystości będą się w nim gromadziły dopóty, dopóki nie uda mu się wyemigrować. Jak dotąd comiesięczne kontrole me-

dyczne potwierdzały, że jest normalem — mężczyzną zdolnym
do prokreacji w granicach określonych przez prawo. Jednakże
każdego miesiąca badania te, przeprowadzane przez lekarzy
z Komendy Policji San Francisco, mogły wykazać coś przeciw-
nego. Za sprawą wszechobecnego pyłu dotychczasowi normale
wciąż zmieniali się w nowe odmiany specjali. Obiegowe hasło,
które wciskały obecnie plakaty, reklamy telewizyjne i rządowe
ulotki przysyłane pocztą, brzmiało: „Emigruj albo się degeneruj!
Wybór należy do ciebie!" Zupełnie słusznie, pomyślał Rick, otwierając bramkę prowadzącą na jego małe pastwisko i zbliżając
się do elektronicznej owcy. Ale ja nie mogę emigrować, rzekł do
siebie. Ze względu na moją pracę.

Zawołał go właściciel przyległego pastwiska, sąsiad z budynku — Bill Barbour. Tak jak Rick był już ubrany do pracy, ale
również się zatrzymał, by sprawdzić, jak się ma jego zwierzę.

— Moja klacz jest źrebna — oznajmił rozpromieniony Barbour.
Wskazał wielkiego perszerona, który stał, patrząc tępo w przestrzeń. — Co na to powiesz?

— Powiem, że wkrótce będziesz miał dwa konie — odparł Rick.
Dotarł już do swojej owcy. Leżała, przeżuwając, wpatrywała się
weń badawczo, sprawdzając, czy nie przyniósł owsianych bułe-
czek. Miała wmontowany obwód owsotropiczny — widząc jakikolwiek produkt z tego zboża, zerwałaby się i podbiegła do niego.

— Od czego zaszła twoja klacz? — zapytał Barboura. — Od
wiatru?

— Kupiłem trochę plazmy inseminacyjnej najwyższej jakości, jaką można znaleźć w Kalifornii — poinformował go Barbour. — Dzięki prywatnym znajomościom w Stanowym Biurze
Zootechnicznym. Pamiętasz, jak w ubiegłym tygodniu ich inspektor badał Judy? Bardzo chcą, żeby się oźrebiła, ona nie ma

sobie równych. — Barbour poklepał pieszczotliwie kark klaczy, która pochyliła głowę w jego stronę.

— Czy myślałeś kiedykolwiek o sprzedaży konia? — zapytał Rick. Marzył o tym, by mieć konia albo, na dobrą sprawę, jakiekolwiek zwierzę. Czuł, że posiadanie i oporządzanie imitacji w jakiś sposób stopniowo go demoralizuje. Mimo to, ze społecznego punktu widzenia, nie mając autentyku, tak właśnie powinien był postępować. Nie miał najmniejszego wyboru, musiał to ciągnąć. Nawet gdyby jemu na tym nie zależało, była jeszcze żona. Iran zaś zależało — i to bardzo.

— Sprzedaż konia — odparł Barbour — byłaby niemoralna.

— No to sprzedaj źrebię. Trzymanie dwóch zwierząt jest bardziej niemoralne niż żadnego.

— O co ci chodzi? — spytał zaskoczony Barbour. — Wiele osób ma dwoje zwierząt, nawet troje, czworo, a Fred Washborne, właściciel przetwórni alg, w której pracuje mój brat, aż pięcioro. Nie czytałeś we wczorajszej „Chronicle" artykułu o jego kaczce? Przypuszczają, że to najcięższy i największy okaz kaczki piżmowej na Zachodnim Wybrzeżu. — Jego oczy zaszkliły się marzycielsko na samą myśl, że mógłby mieć coś takiego.

Rick przeszukał kieszenie płaszcza i wyciągnął wymięty, wielokrotnie przeglądany egzemplarz styczniowego dodatku do „Katalogu Zwierząt i Ptaków Sidneya". Spojrzał do indeksu, znalazł źrebaki (patrz konie, potomstwo) i wkrótce miał już najczęstsze krajowe oferty.

— Mogę kupić od Sidneya źrebaka perszerona za pięć tysięcy dolarów — oznajmił.

— Nie, nie możesz — odparł Barbour. — Przyjrzyj się jeszcze raz, cena jest podana kursywą. To znaczy, że nie mają żadnego na składzie, ale gdyby mieli, tyle właśnie by kosztował.

— Załóżmy — powiedział Rick — że przez dziesięć miesięcy będę ci płacić po pięćset dolarów. Dostaniesz pełną cenę katalogową.

— Zupełnie się nie orientujesz, Deckard, jak wygląda sprawa z końmi — rzekł z politowaniem Barbour. — To nie przypadek, że Sidney nie ma żadnego źrebaka nawet po cenach katalogowych. Są rzadkością, również te stosunkowo gorszej jakości. — Przechylił się, gestykulując, przez ogrodzenie. — Mam Judy od trzech lat i cały ten czas nie widziałem kobyły tej rasy, która mogłaby się z nią równać. Aby ją zdobyć, musiałem lecieć do Kanady i przywieźć ją tu samemu, by mieć pewność, że jej nie ukradną. Pokażesz się z takim zwierzęciem gdzieś w Colorado czy Wyoming i rozwalą ci głowę, żeby je zdobyć. Wiesz dlaczego? Bo już przed OWŚ było ich zaledwie kilkaset...

— Ale to, że masz dwa konie — przerwał mu Rick — a ja nie mam żadnego, podważa fundamenty teologicznej i moralnej struktury merceryzmu.

— Przecież masz swoją owcę. Do licha, możesz prowadzić Wspinaczkę w życiu osobistym i kiedy ujmujesz dwa uchwyty empatii, przystępujesz do tego uczciwie. Oczywiście, gdybyś nie miał tej swojej owcy, mógłbym dostrzec pewne logiczne przesłanki twojego stanowiska. Naturalnie, gdybym miał dwoje zwierząt, a ty nie miałbyś żadnego, w jakiś sposób przyczyniałbym się do odbierania ci możliwości prawdziwego zespolenia z Mercerem. Ale każda rodzina w tym budynku — poczekaj... około pięćdziesięciu, jedna na trzy mieszkania, jeśli dobrze liczę — każde z nas ma jakieś zwierzę. Graveson trzyma tam kurczaka. — Wskazał na północ. — Oakes z żoną mają tego dużego rudego psa, który szczeka nocami. — Zamyślił się. — Mam wrażenie, że Ed Smith trzyma w mieszkaniu kota. W każdym razie tak utrzymuje, choć nikt go jeszcze nie widział. Możliwe, że tylko udaje.

Rick podszedł do swojej owcy i pochylił się nad nią. Grzebał w gęstej białej wełnie — przynajmniej runo było prawdziwe — aż wreszcie znalazł to, czego szukał: ukryty mały pulpit sterowniczy. Czując na sobie wzrok Barboura, otworzył pokrywę pulpitu, odsłaniając wnętrze.

— Widzisz? — rzekł do sąsiada. — Teraz rozumiesz, dlaczego tak bardzo chcę mieć twojego źrebaka?

— Biedaku — Barbour odezwał się po krótkiej przerwie. — Czy zawsze tak było?

— Nie — odparł Rick, zamykając pokrywę. Wyprostował się, odwrócił i spojrzał sąsiadowi prosto w oczy. — Początkowo miałem prawdziwą owcę. Dał nam ją mój teść, tuż przed tym, jak wyemigrował. A później, mniej więcej rok temu, pamiętasz, kiedy wziąłem ją do weterynarza — byłeś tu tego ranka. Przyszedłem i zobaczyłem, że leży na boku i nie może się podnieść.

— Postawiłeś ją na nogi — przypomniał sobie Barbour i skinął głową. — Tak, udało ci się ją podnieść, ale chodziła tylko minutę albo dwie i znowu upadła.

— Owce cierpią na dziwne choroby — powiedział Rick. — Albo ujmę to inaczej: owce zapadają na wiele chorób, ale objawy są zawsze takie same — owca nie może się podnieść i nie sposób ocenić, jak bardzo to jest poważne, czy skręciła nogę, czy zdycha na tężec. Moja padła właśnie na tężec.

— Tężec? Tutaj? — zapytał Barbour. — Na dachu?

— Siano — wyjaśnił Rick. — Nie wyjąłem wtedy z beli wszystkich kawałków drutu. Jeden został i Groucho — tak ją nazywaliśmy — zadrapała się i w ten sposób zaraziła tężcem. Zabrałem ją do weterynarza i zdechła. Długo o tym myślałem, aż wreszcie zadzwoniłem do jednego z tych zakładów, w których produkują sztuczne zwierzęta, i posłałem im fotografię Groucho. Zrobili mi to. — Wskazał leżący erzac zwierzęcia, który w dalszym ciągu przeżuwał uważnie, wciąż wyczekując na jakikolwiek ślad owsa. — Wspaniała robota. I poświęcam jej równie wiele czasu, opiekuję się równie troskliwie, jak wtedy, gdy była prawdziwa. Ale... — Wzruszył ramionami.

— To nie to samo — skończył za niego Barbour.

— Ale prawie. Czuje się przy tym to samo. Wciąż trzeba bardzo na nią uważać, jak wtedy, kiedy była naprawdę żywa. W przeciwnym razie popsuje się i wszyscy w całym domu się zorientują. Musiałem sześć razy wozić ją do warsztatu. Przeważnie były to drobne usterki, ale gdyby ktoś je zobaczył — na przykład, gdy się zerwała czy zaplątała taśma i owca beczała bez przerwy — mógłby się zorientować, że to mechanizm, urządzenie. Ciężarówka z warsztatu naprawczego — dodał — jest oczywiście oznakowana „Jakaśtam klinika dla zwierząt". I kierowca ubrany jest jak weterynarz, cały na biało. — Nagle spojrzał na zegarek, przypomniawszy sobie, że na niego czas. — Muszę iść do pracy — rzekł do Barboura. — Zobaczymy się wieczorem.

Gdy ruszył w stronę swojego pojazdu, Barbour zawołał za nim pośpiesznie:

— Hej! Nic nie powiem żadnemu z sąsiadów!

Rick zatrzymał się, żeby podziękować, ale nagle poczuł, jak dotyka go jakaś cząstka tej rozpaczy, o której mówiła Iran, i rzekł:

— Bo ja wiem? Może to nie ma żadnego znaczenia...?

— Ale przecież będą patrzeć na ciebie z góry. Nie wszyscy, ale niektórzy tak. Wiesz, co ludzie myślą, gdy ktoś nie opiekuje się zwierzęciem. Uważają to za niemoralne i nieempatyczne. Oczywiście teoretycznie to nie jest przestępstwo, tak jak tuż po OWŚ, ale emocje pozostały te same.

— O Boże — powiedział zrezygnowany Rick i machnął ręką. — Przecież chcę mieć zwierzę. Próbuję je kupić. Ale przy mojej pensji, przy zarobkach miejskiego urzędnika... — Gdyby, pomyślał, znowu mi się poszczęściło w pracy. Tak jak dwa lata temu, kiedy udało mi się w jednym miesiącu upolować cztery andki. Gdybym wtedy wiedział, pomyślał, że Groucho zdechnie... ale to było przed tężcem. Przed tym dwucalowym, ostrym jak igła kawałkiem drutu.

— Możesz kupić kota — zaproponował Barbour. — Koty są tanie, sprawdź w swoim Sidneyu.

— Nie chcę domowego zwierzątka — odparł cicho Rick. — Chcę mieć to, co miałem poprzednio: duże zwierzę. Owcę albo, jeżeli uda mi się zdobyć pieniądze, krowę, wołu czy jak ty, konia. — Nagroda za pięć andków by wystarczyła, uzmysłowił sobie. Po tysiąc dolarów od sztuki, dodatkowy dochód poza pensją. A wtedy mógłbym dostać od kogoś to, czego pragnę. Nawet jeżeli w „Zwierzętach i Ptakach Sidneya" wydrukowali cenę kursywą. Pięć tysięcy dolarów — ale, pomyślał, najpierw te pięć andków musi się dostać na Ziemię z którejś planety kolonii. Nie mam na to wpływu, nie mogę ich zmusić, by tu przyleciały, a nawet gdybym mógł, są jeszcze inni łowcy, którzy na całym świecie współpracują z policją. Andki musiałyby specjalnie upodobać sobie północną Kalifornię, a starszy łowca w tym rejonie, Dave Holden, musiałby akurat umrzeć albo się wycofać.

— Kup sobie świerszcza — zaproponował Barbour dowcipnie. — Albo mysz. Hej, za dwadzieścia pięć zielonych możesz sobie kupić dorosłą mysz.

— Twój koń może niespodziewanie zdechnąć — odparł Rick — tak jak zdechła moja Groucho. Kiedy wrócisz wieczorem z pracy do domu, możesz znaleźć swoją kobyłę leżącą na grzbiecie, z nogami wyciągniętymi w górę jak chrabąszcz. Jak ten świerszcz, o którym mówiłeś.

— Przepraszam, jeżeli cię uraziłem — nerwowo powiedział Barbour.

Rick Deckard w milczeniu otworzył drzwiczki swego hovera. Nie miał już nic do powiedzenia sąsiadowi, myślał o swojej pracy, o czekającym go dniu.

Rozdział II

W bezludnym pokoju gigantycznego, pustego, chylącego się ku ruinie budynku zamieszkanego niegdyś przez tysiące ludzi wydzierał się pojedynczy telewizor.

Ta bezpańska ruina przed Ostatnią Wojną Światową była zadbanym blokiem mieszkalnym. Tu właśnie były przedmieścia San Francisco, z których do centrum można było szybko dojechać tranzytową koleją jednoszynową. Cały półwysep jak drzewo pełne ptaków świergotał życiem, dźwięczał opiniami, prośbami i zażaleniami, a teraz pieczołowici właściciele albo poumierali, albo wyemigrowali do kolonii, na inne planety. Najczęściej poumierali — ta wojna zabrała wiele ofiar mimo buńczucznych prognoz Pentagonu i jego zadowolonego z siebie naukowego wasala, mieszczącej się niegdyś niedaleko stąd Rand Corporation. Korporacja, podobnie jak właściciele mieszkań, odeszła, najwidoczniej na dobre. Nikomu jej nie brakowało.

W dodatku nikt już dziś nie pamiętał ani jaki był powód tej wojny, ani kto ją wygrał. Pył radioaktywny, który zatruł większą część powierzchni planety, nie zrodził się w żadnym konkretnym kraju i nikt, nawet ówczesny przeciwnik, nie zaplanował takiego rozwoju wypadków. Dziwne, ale pierwsze wyginęły sowy. Wtedy wydawało się to niemal śmieszne. Grube, puchate, białe ptaki leżały tu i tam, na podwórkach i ulicach. Kiedy jeszcze żyły, pojawiały się nie wcześniej niż po zmroku i przez to nie rzucały się w oczy. Morowe powietrze w średniowieczu dawało o sobie znać podobnie — wielką liczbą martwych szczurów. Ta zaraza jednak przyszła z góry.

Po sowach nadeszła oczywiście kolej na inne ptaki, ale wtedy tajemnica została już wyjaśniona i zrozumiana. Jeszcze przed wojną zaczęto realizować skromniutki program osiedleńczy, ale teraz, gdy słońce przestało świecić nad Ziemią, kolonizacja weszła w zupełnie nową fazę. W związku z tym został również zmodyfikowany sprzęt bojowy, Syntetyczny Żołnierz Wolności. Zdolny do działania na obcych planetach humanoidalny robot, a raczej organiczny android, stał się siłą napędową programu kolonizacyjnego. Zgodnie z oenzetowskim prawem każdy emigrant automatycznie otrzymywał na własność androida wybranego typu i w 2019 roku rozmaitość ich modeli przeszła wszelkie wyobrażenie, podobnie jak było z amerykańskimi samochodami w latach sześćdziesiątych XX wieku.

Stało się to ostatecznym bodźcem do emigracji — służący android był marchewką, radioaktywny opad — batem. ONZ sprawiła, że emigracja stała się łatwa, pozostanie zaś trudne, jeśli nie niemożliwe. Wałęsającym się po Ziemi groziło to, że nagle znajdą się w grupie osób biologicznie niepożądanych, stanowiących zagrożenie dla dziedziczności rasy. Obywatel, którego już raz zaszufladkowano jako specjala, nawet jeśli zgodził się na sterylizację, wypadał z gry, w gruncie rzeczy przestawał należeć do rodzaju ludzkiego. Mimo to tu i ówdzie ludzie odmawiali wyemigrowania; jednak nawet dla nich było to zadziwiająco irracjonalne. Zgodnie z logiką każdy normal powinien był już wyemigrować. Być może Ziemia, choć tak oszpecona, pozostała czymś bliskim, czymś, czego należało się trzymać. Albo być może ci, którzy nie chcieli emigrować, wyobrażali sobie, że warstwa pyłu w końcu się rozproszy. W każdym razie pozostały tysiące ludzi, którzy najliczniej zgromadzili się w rejonach miejskich, gdzie mogli się widzieć nawzajem, czerpać otuchę z tego, że są razem. Sprawiali oni wrażenie stosunkowo zdrowych umysłowo. Poza tym, jako wątpliwej wartości dodatek do nich, pewne szczególne jednostki pozostały na całkowicie opuszczonych przedmieściach.

John Isidore, który golił się w łazience, podczas gdy w salonie wydzierał się nań telewizor, był jednym z nich.

Po prostu zabrnął tutaj wkrótce po wojnie. W tych złych czasach nikt właściwie nie wiedział, co robi. Ludzie, wyrwani ze swych domów przez wojnę, włóczyli się, osiedlali na jakiś czas to w jednym regionie, to znów w drugim. W owych czasach opady radioaktywne były rzadkie i bardzo zmienne — w niektórych stanach nie występowały prawie wcale, inne otrzymywały dużą dawkę. Uchodźcy wędrowali, gdy przesuwały się opady pyłu. Półwysep na południe od San Francisco początkowo był czysty i wiele osób wykorzystało to i osiedliło się w tym miejscu. Gdy pojawił się pył, część umarła, część zaś odeszła. J.R. Isidore pozostał.

Odbiornik telewizyjny darł się:

— ...powtarza błogosławione czasy Południa przed wojną secesyjną! Czy to jako osobisty służący, czy niestrudzony pracownik rolny, wykonany na specjalne zamówienie humanoidalny robot zaprojektowany został wyłącznie dla TWOICH NIEPO-WTARZALNYCH POTRZEB — DLA CIEBIE I TYLKO DLA CIEBIE! Otrzymasz go całkowicie bezpłatnie natychmiast po przyjeździe, zgodnie z obietnicą daną ci przed opuszczeniem Ziemi. Ten wierny, niekłopotliwy towarzysz w największej, najbardziej zuchwałej przygodzie podjętej przez człowieka w jego najnowszej historii zapewni... — I tak dalej, i tak dalej.

Ciekawe, czy spóźniłem się do pracy, pomyślał Isidore przy goleniu. Nie miał zegarka i uzależniony był od sygnałów czasu nadawanych przez telewizję, dziś jednak był najwidoczniej Dzień Kosmicznych Perspektyw. W każdym razie telewizja twierdziła, że jest to piąta (a może szósta) rocznica założenia Nowej Ameryki, głównego osiedla Stanów Zjednoczonych na Marsie. Jego zaś niezbyt sprawny aparat odbierał tylko kanał, który został znacjonalizowany podczas wojny. Rząd w Waszyngtonie ze swoim programem kolonizacyjnym był jedynym sponsorem tego, co Isidore zmuszony był teraz słuchać.

— Godność, pani Klugman? — zapytał spiker.

— Tak — odparła pani Klugman, obecnie z Nowego Nowego Jorku. — To trudno wyjaśnić. Służący, na którym można polegać w naszych trudnych czasach... to mi dodaje otuchy.

— Czy dawniej, na Ziemi, pani Klugman, nie obawiała się pani również tego, że zostanie zaliczona, hmm... do specjali?

— Och, mój mąż i ja zamartwialiśmy się tym prawie na śmierć. Oczywiście, gdy tylko wyemigrowaliśmy, ten problem zniknął, całe szczęście na zawsze.

Dla mnie również zniknął, pomyślał kwaśno John Isidore, i wcale nie musiałem w tym celu emigrować. Od ponad roku był już specjalem, i to nie tylko ze względu na swe zniekształcone geny. Co gorsza, oblał test na minimalny poziom inteligencji i tym sposobem został osobnikiem zwanym potocznie kurzym móżdżkiem. Spadła nań pogarda wszystkich trzech planet, mimo to jakoś udało mu się przeżyć. Pracował, prowadząc ciężarówkę w zakładzie naprawczym sztucznych zwierząt. Klinika Zwierząt Van Ness i jej posępny, niesamowity szef Hannibal Sloat uznali go za człowieka, on zaś umiał to docenić. *Mors certa, vita incerta*, jak to od czasu do czasu oznajmiał pan Sloat. Isidore, choć słyszał ów zwrot wiele razy, miał jedynie mgliste pojęcie, co on znaczy. W końcu, gdyby kurzy móżdżek rozumiał po łacinie, przestałby być kurzym móżdżkiem. Kiedy panu Sloatowi zwrócono na to uwagę, przyznał rację. W końcu istniały kurze móżdżki nieporównywalnie głupsze niż Isidore, takie, które nie mogły wykonywać żadnej pracy i przebywały w zakładach zamkniętych zwanych osobliwie Instytutami Specjalnych Umiejętności Zawodowych w Ameryce. Słowo „specjalny" jak zawsze musiało się tu znaleźć w takiej czy innej formie.

— ...mąż pani nie czuł się wystarczająco zabezpieczony — ciągnął dalej spiker — choć miał i stale nosił drogi i niewygodny ochraniacz antyradiacyjny, nieprawdaż, pani Klugman?

— Mój mąż... — zaczęła pani Klugman, ale Isidore akurat skończył się golić, wkroczył do salonu i wyłączył aparat.

Cisza. Wybuchła z framug drzwi i okien, ze ścian, poraziła straszliwą, wszechogarniającą mocą, jakby wytwarzaną przez olbrzymią siłownię. Unosiła się z podłogi pokrytej wystrzępioną szarą wykładziną. Wyrywała się z całkowicie lub częściowo popsutych akcesoriów kuchennych, martwych urządzeń, które nie działały nigdy, od kiedy mieszkał tu Isidore. Sączyła się z bezużytecznej stojącej lampy w salonie, przeplatając się z sobą samą sączącą się bezgłośnie z upstrzonego przez muchy sufitu.

Właściwie wyłaniała się z każdego przedmiotu w zasięgu wzroku, jakby miała zamiar wyrugować wszystkie namacalne przedmioty. Stąd też atakowała nie tylko jego uszy, ale i oczy; gdy stał tak przy martwym telewizorze, odczuwał ciszę jako coś widzialnego i, na swój sposób, żywego. Żywego! Już poprzednio często czuł, jak zbliża się surowo i groźnie; gdy się zjawiała, wybuchała bez krzty subtelności, najwidoczniej niezdolna czekać. Cisza tego świata nie mogła pohamować swej zachłanności. Już ani chwili dłużej. Już nie wtedy, kiedy właściwie zwyciężyła.

Zastanawiał się wówczas, czy inni ludzie, którzy pozostali na Ziemi, tak jak on odczuwają tę pustkę. Czy też jest to coś ściśle związanego z jego specyficzną biologiczną tożsamością, może jakiś fenomen wytworzony przez jego niesprawne zmysły. To ciekawe pytanie, pomyślał Isidore. Z kim jednak mógłby skonfrontować swoje spostrzeżenia? Mieszkał sam w tym rozkładającym się ślepym gmachu o tysiącu nie zamieszkanych mieszkań, który podobnie jak wszystkie inne do niego podobne dzień po dniu stawał się coraz większą entropijną ruiną. W końcu wszystko w tym budynku połączy się, stanie się bezosobowym i identycznym, zwyczajnym kisielowatym chłamem wypełniającym każde mieszkanie aż po sufit. A potem ten zaniedbany budynek również zatraci swój kształt, zostanie pogrzebany pod wszechobecnym pyłem. Do tej pory, rzecz jasna, on sam będzie już martwy, kolejne wydarzenie, które ciekawie jest przewidywać, stojąc tu, w tym porażonym salonie, sam na sam z pozbawioną płuc, wszystko przenikającą, władczą światło-ciszą.

Może lepiej byłoby włączyć telewizor. Ale reklamy adresowane do pozostałych normali budziły w nim strach. Powiadamiały go o niezliczonych przejawach rozwoju w dziedzinach, w których on, specjal, był niepożądany. Był bezużyteczny. Nie mógł, nawet gdyby chciał, wyemigrować. Po co więc tego słuchać? — poirytowany zadał sobie pytanie. Do diabła z nimi i ich kolonizacją. Mam nadzieję, że tam też wybuchnie wojna, w końcu teoretycznie to możliwe, i skończy się tam tak, jak na Ziemi. I każdy, kto wyemigrował, zostanie specjalem.

Dobra, pomyślał, trzeba się zabierać do roboty. Dotknął klamki, która otwierała przed nim drogę do nie oświetlonego korytarza, i cofnął się, gdy dostrzegł pustkę pozostałej części budynku. Czaiła się tam czekająca na niego siła, która — jak wyczuwał — pracowicie przenikała do jego mieszkania. O Boże, pomyślał i zamknął drzwi. Nie był jeszcze przygotowany do wędrówki tymi dudniącymi metalicznie schodami na płaski dach, gdzie nie miał żadnego zwierzęcia. Echo jego wspinaczki, echo nicości. Czas ująć uchwyty, powiedział do siebie i przeszedł przez salon do czarnej skrzynki empatycznej.

Gdy ją włączył, z zasilacza wydobył się charakterystyczny, słaby zapach jonów ujemnych. Wciągnął je skwapliwie do płuc, już czując się podniesiony na duchu. W tym czasie kineskop rozjarzył się słabą imitacją obrazu telewizyjnego, powstał kolaż utworzony z pozornie przypadkowych kolorów, linii, kształtów, które do chwili złapania za uchwyty nic nie znaczyły. Wciągnął więc głęboko powietrze w płuca, by się uspokoić, i ujął oba uchwyty.

Obraz się ustalił. Natychmiast zobaczył znajomy krajobraz, brunatne, nagie wzniesienie z kępkami wyschniętych na pieprz traw sterczących ukośnie w blade, pozbawione słońca niebo. Pojedyncza postać, mniej więcej o ludzkich kształtach, brnęła pod górę: stary człowiek w wyszarzałej, bezkształtnej szacie, okryciu tak nędznym, jakby zostało urwane z wrogiej pustki nieba. Człowiek ten, Wilbur Mercer, posuwał się z trudem przed siebie i gdy John Isidore zaciskał dłonie na uchwytach, czuł, jak stopniowo znika widok salonu, w którym stał. Zniszczone umeblowanie i ściany rozpływały się, aż przestał je zupełnie dostrzegać. Jak zawsze, znalazł się na brunatnym wzgórzu, pod bezbarwnym niebem. Nie widział już wspinaczki starego człowieka. Teraz jego własne stopy przesuwały się, szukały oparcia wśród znajomych luźnych kamieni, czuł te same, dawne, sprawiające ból, nierówności pod stopami i znów poczuł drażniące opary w powietrzu — powietrzu nie Ziemi, lecz jakiegoś obcego, odległego, ale dzięki empatycznej skrzynce natychmiast dostępnego miejsca.

Dostał się tam w sposób, który jak zawsze wprawiał go w zdumienie. Nastąpiło fizyczne zespolenie, a także umysłowa i duchowa identyfikacja z Wilburem Mercerem. Podobnie działo się ze wszystkimi, którzy trzymali uchwyty, czy to tutaj, na Ziemi, czy też na którejś ze skolonizowanych planet. Czuł ich, łączył w sobie bełkot ich myśli, słyszał w swym mózgu hałas ich wielu pojedynczych istnień. Oni i on dbali tylko o jedno — to zespolenie umysłów zwracało ich uwagę na wzgórze, na wchodzenie po zboczu, na konieczność wspinaczki. Krok za krokiem przekształcało się, tak wolno, że omal niepostrzegalnie. A było. Wyżej, pomyślał, podczas gdy kamienie, grzechocząc, toczyły się spod jego stóp. Dziś jestem wyżej niż wczoraj, a jutro… — on sam, zbiorcza postać Wilbura Mercera, spojrzała w górę, na leżące przed nią podejście. Nie sposób dotrzeć do samego końca. Za daleko. Ale to nastąpi.

Ciśnięty w niego kamień uderzył go w ramię. Poczuł ból. Zrobił półobrót i kolejny kamień przeleciał obok niego, chybiając. Uderzył w ziemię i ten odgłos zaskoczył Johna. Kto? — pomyślał, próbując dostrzec swego dręczyciela. Dawni przeciwnicy ukazali się na granicy jego pola widzenia. Podążali jego śladem na wzgórze i będą tak szli aż do szczytu…

Przypomniał sobie wierzchołek, niespodziewanie płaski szczyt wzgórza. Tam kończyło się podejście i rozpoczynała następna część. Ile razy szedł tą drogą? Kolejne podejścia zamgliły się, tak jak przyszłość i przeszłość, a to, czego doświadczył i czego będzie doświadczał, połączyło się tak, że nie pozostało nic poza tą chwilą, w której stał i odpoczywał, masując skaleczone kamieniem ramię. Boże, pomyślał zmęczony. Jakże to może być słuszne? Dlaczego jestem tu sam, torturowany przez coś, czego nawet nie mogę zobaczyć? W tej samej chwili rozlegający się w jego wnętrzu gwar wszystkich zespolonych rozproszył złudzenie samotności.

Czuliście to również, pomyślał. Tak, odparły głosy. Zostaliśmy uderzeni, w lewe ramię — boli jak diabli. W porządku, odparł. Będzie lepiej, jeśli ruszymy dalej. Zaczął iść i wszyscy natychmiast przyłączyli się do niego.

Kiedyś, przypomniał sobie, było inaczej. Zanim spadła klątwa; wcześniejszy, szczęśliwszy okres życia. Jego przybrani rodzice Frank i Cora Mercer znaleźli go płynącego w dmuchanej gumowej łódce ratunkowej koło wybrzeży Nowej Anglii… a może był to Meksyk, niedaleko portu Tampico? Teraz nie mógł sobie przypomnieć okoliczności. Dzieciństwo miał przyjemne, kochał wszystkie przejawy życia. Szczególnie zwierzęta i do pewnego czasu potrafił nawet sprawić, że martwe zwierzęta stawały się takie jak poprzednio. Żył wśród królików i żuczków, obojętne gdzie to było, na Ziemi czy na którejś planecie kolonii, tego również nie mógł sobie teraz przypomnieć. Ale pamiętał morderców, bo aresztowali go jako szajbusa, specjala większego niż jakikolwiek inny. I przez to właśnie wszystko się zmieniło.

Miejscowe prawo zabraniało korzystania z umiejętności odwracania czasu, dzięki której martwi wracali do życia. Oznajmiono mu o tym, gdy miał szesnaście lat. Przez następny rok robił to w tajemnicy, w pozostałych jeszcze lasach, ale stara kobieta, której nigdy nie widział ani o niej nie słyszał, doniosła. Bez zgody rodziców oni — ci mordercy — zbombardowali wyjątkowy guzek, który wykształcił się w jego mózgu, zniszczyli go radioaktywnym kobaltem i ten czyn cisnął go w zupełnie inny świat, którego istnienia nigdy nie podejrzewał. Była to jama pełna zwłok i kości, z której latami starał się wydostać. Osioł i ropucha, zwłaszcza ropucha — istoty dla niego najważniejsze — zniknęły, stały się stworzeniami wymarłymi, pozostały po nich tylko rozkładające się szczątki — tu bezoka głowa, tam znów fragment łapy. Wreszcie ptak, który przyleciał tam, by umrzeć, powiedział mu, gdzie się znajduje. Zapadł się do świata grobów. Nie mógł się z niego wydobyć, dopóki rozrzucone wokół niego kości nie staną się znowu częścią żywych istot. Został przyłączony do procesu przemiany materii innych istnień i dopóki one nie powstaną, on także nie zdoła powstać.

Nie zdawał sobie sprawy, jak długo trwała owa część cyklu. Ogólnie rzecz biorąc, nic się nie działo, nie było więc też poczucia czasu. Wreszcie jednak kości pokryły się ciałem, wypełniły się puste oczodoły i nowe oczy przejrzały, a w tym samym czasie odtworzone dzioby i paszcze gdakały, szczekały i miauczały. Być może on tego dokonał, być może odrósł ów pozazmysłowy organ. Albo może nie miał w tym udziału — bardzo prawdopodobne, że mógł to być naturalny proces. W każdym razie nie pogrążał się już, zaczął wchodzić do góry, razem z innymi. Już dawno temu stracił ich z oczu i obecnie stwierdził, że najwidoczniej wspina się sam. Ale oni tu byli. Wciąż mu towarzyszyli i, co dziwne, czuł ich w sobie.

Isidore stał, trzymając dwa uchwyty i czuł, jak zawiera w swym jestestwie każdą żyjącą istotę, aż wreszcie niechętnie otworzył dłonie. Musiało się to, jak zawsze, skończyć, a w każdym razie ręka w miejscu, w które uderzył kamień, bolała i krwawiła. Obejrzał ramię, a potem niepewnym krokiem przeszedł do łazienki, by obmyć ranę. Nie było to pierwsze obrażenie, jakie otrzymał w czasie zespoleń z Mercerem, i zapewne nie ostatnie. Ludzie, szczególnie ci bardziej leciwi, umierali, zwłaszcza później, na szczycie wzgórza, gdzie męczarnie zaczynały być prowadzone na ostro. Ciekawe, czy zdołam znowu przejść przez tę część, rzekł do siebie, ocierając skaleczenie. Możliwość zatrzymania pracy serca. Lepiej by było, pomyślał, gdybym mieszkał w mieście, gdzie każdy z takich budynków ma w pogotowiu lekarza z aparaturą do elektrycznego pobudzania serca. Tutaj, w samotności, to zbyt ryzykowne.

Wiedział jednak, że musi podjąć ryzyko. Tak jak zawsze to robił. Jak większość osób, nawet słabi fizycznie staruszkowie.

Osuszył chusteczką higieniczną zranione ramię.

I usłyszał stłumiony, odległy telewizor.

W tym domu jest ktoś poza mną, pomyślał w dzikim popłochu, nie mogąc w to uwierzyć. To nie mój telewizor, mój jest wyłączony i czuję drgania podłogi. Ten jest niżej, na zupełnie innym piętrze!

Już nie jestem tu zupełnie sam, uświadomił sobie. Wprowadził się jeszcze jeden lokator, zajął któreś z opuszczonych mieszkań, i to tak niedaleko, że go słyszę. To musi być poziom drugi albo trzeci, na pewno nie niżej. Trzeba sprawdzić, myślał gorączkowo. Co się robi, gdy wprowadza się nowy lokator? Zachodzi się do niego i coś pożycza, czyż nie tak? Nie mógł sobie przypomnieć. Dotąd nic podobnego mu się nie przydarzyło, czy tu, czy gdziekolwiek indziej. Ludzie wyprowadzali się, emigrowali, ale nikt nigdy się nie wprowadzał. Muszę im coś zanieść, postanowił. Kubek wody albo lepiej mleka; tak, mleka, albo mąki, albo może jajko — a właściwie ich namiastki.

Zajrzał do lodówki, której sprężarka od dawna już nie działała, i znalazł podejrzaną kostkę margaryny. Trzymając ją w ręku, ruszył podniecony, z łomocącym sercem, na niższą kondygnację. Muszę być spokojny, uzmysłowił sobie. Nie mogę dać mu poznać, że jestem kurzym móżdżkiem. Jeżeli się zorientuje, że jestem kurzym móżdżkiem, nie będzie chciał ze mną rozmawiać, z jakiegoś powodu zawsze się tak dzieje. Ciekaw jestem dlaczego?

Pobiegł korytarzem.

Rozdział III

W drodze do pracy Rick Deckard, podobnie jak Bóg wie ilu innych ludzi, przez chwilę pokręcił się przed jednym z licznych, ale największym sklepem ze zwierzętami w San Francisco. Struś siedzący w klatce z przezroczystego plastyku umieszczonej pośrodku okna wystawowego, które zajmowało całą długość budynku, odpowiedział mu spojrzeniem na spojrzenie. Według tabliczki informacyjnej ptaka dostarczono niedawno z zoo w Cleveland. Był jedynym strusiem na Zachodnim Wybrzeżu. Rick przez chwilę gapił się na niego, a potem przez parę minut spoglądał posępnie na wywieszkę z ceną. Wreszcie ruszył w stronę Pałacu Sprawiedliwości przy Lombard Street. Kiedy tam dotarł, okazało się, że jest spóźniony piętnaście minut.

Gdy otworzył drzwi do gabinetu, jego przełożony, inspektor policji Harry Bryant, rudzielec o odstających uszach, niechlujnie ubrany, ale spostrzegawczy i wiedzący prawie wszystko, co ma jakiekolwiek znaczenie, zawołał do niego z korytarza:

— Spotkajmy się o dziewiątej trzydzieści w biurze Dave'a Holdena! — Mówiąc to, przerzucał plik żółtawych arkuszy maszynowych przebitek przypiętych do podkładki. — Holden — ciągnął — leży w szpitalu Mount Zion z postrzałem grzbietu od lasera. Spędzi tam przynajmniej miesiąc. Do czasu, aż doprowadzą do przyjęcia się przeszczepu nowych plastorganicznych fragmentów pleców.

— Co się stało? — zapytał Rick, czując, że po krzyżu przebiega mu zimny dreszcz. Główny łowca wydziału wczoraj był zupełnie zdrów. Pod koniec dnia jak zwykle wystartował swoją maszyną do mieszkania w gęsto zamieszkanej, ekskluzywnej dzielnicy Nob Hill.

Bryant burknął coś przez ramię o spotkaniu w biurze Dave'a o dziewiątej trzydzieści i odszedł, zostawiając Deckarda na korytarzu.

Wchodząc do gabinetu, Rick usłyszał za plecami głos swojej sekretarki, Ann Marsten:

— Panie Deckard, czy pan wie, co się stało Holdenowi? Postrzelony.

Weszła za nim do dusznego klaustrofobicznego pokoju i włączyła aparaturę filtrującą powietrze.

— Tak — odparł z roztargnieniem.

— To musiał być jeden z tych nowych supersprytnych andków wypuszczanych przez Korporację Rosena — oznajmiła panna Marsten. — Czytał pan ich broszurę i specyfikację? Zastosowany przez nich moduł mózgowy Nexus-6 może dokonać wyboru spośród dwóch trylionów składowych albo dziesięciu milionów odrębnych połączeń nerwowych. — Zaczęła mówić ciszej. — Nie zdążył pan na wideokonferencję, która odbyła się dziś rano. Powiedziała mi o niej panna Wild. Rozmowa z centralą, dokładnie o dziewiątej.

— Połączenie z zewnątrz? — spytał Rick.

— Nie, od nas — odparła panna Marsten. — Pan Bryant dzwonił do WOP... do Rosji. Pytał, czy będą chcieli wystąpić z oficjalną pisemną skargą przeciwko wschodniej delegaturze Korporacji Rosena.

— Harry ciągle chce wycofać z rynku moduł mózgowy Nexus-6? — Wcale nie był tym zaskoczony. Odkąd w kwietniu opublikowano tabele osiągów i dane techniczne, większość agencji policyjnych, które zajmowały się ściganiem zbiegłych andków, zaczęła protestować. — Sowiecka policja nie ma wcale większych możliwości działania niż my. Z prawnego punktu widzenia producenci modułu mózgowego Nexus-6 działają na podstawie przepisów kolonialnych, bo ich macierzyste, automatyczne zakłady produkcyjne znajdują się na Marsie. Lepiej będzie, jeżeli po prostu przyjmiemy do wiadomości, że ten nowy moduł mózgowy istnieje — stwierdził. — Zawsze miało to ten sam przebieg, za każdym razem, kiedy wprowadzano nowy moduł. Pamiętam, jak protestowano, kiedy ludzie Sudermana rzucili w 1989 na rynek swój stary T-14. Każda agencja policyjna na półkuli zachodniej twierdziła, że nie ma testu, który by je wykrył, gdyby próbowały nielegalnego wjazdu. I prawdę mówiąc, przez jakiś czas policja miała rację. — Jak sobie przypominał, zdołało się przedostać ponad pięćdziesiąt androidów T-14 i niektóre nie zostały wykryte przez cały rok. Potem jednak w radzieckim Instytucie Pawłowa został opracowany Empatyczny Test Voigta. I jeśli się nie mylił, żaden android T-14 nie sprostał tej próbie.

— Chce pan wiedzieć, co mu odpowiedziała rosyjska policja? — zapytała panna Marsten. — To również wiem. — Jej piegowata, okrągła jak pomarańcza twarz promieniała.

— Dowiem się od Harry'ego Bryanta — odparł Rick. Był poirytowany. Plotki biurowe go drażniły, bo informacje, które niosły, okazywały się lepsze od prawdziwych. Usadowił się za biurkiem i tak długo grzebał w szufladzie, aż panna Marsten zrozumiała aluzję i wyszła.

Wyciągnął z szuflady starą, pozaginaną, brązową kopertę. Oparł się wygodnie, odchylając imponujące oparcie fotela, i przerzucał jej zawartość, aż natknął się na to, czego szukał — obszerny zbiór danych Nexusa-6.

Krótka lektura potwierdziła informacje panny Marsten. Nexus-6 miał dwa biliony składowych oraz możliwość dokonywania wyboru w zakresie dziesięciu milionów możliwych kombinacji aktywności umysłowej. Android wyposażony w mózg o takiej strukturze w ciągu 0,45 sekundy mógł przyjąć jedną z czternastu podstawowych postaw reagowania. Żaden z testów na inteligencję nie zdołałby wykryć takiego andka. Z drugiej jednak strony od wielu już lat, od czasów prymitywnych, topornych wersji z lat siedemdziesiątych, testy na inteligencję nie doprowadziły do przyłapania żadnego andka.

Androidy typu Nexus-6, uświadomił sobie Rick, pod względem inteligencji przewyższały wiele klas osobników ludzkich. Innymi słowy, androidy wyposażone w nowy moduł mózgowy Nexus-6, z pragmatycznego i pozbawionego sentymentów punktu widzenia, ewolucyjnie przegoniły większą ilościowo, ale gorszą jakościowo część ludzkości. Na dobre lub złe. Sługa niekiedy bywał sprytniejszy od pana. Ale pojawiły się nowe skale porównawcze, takie jak na przykład Empatyczny Test

Voigta-Kampffa, które pomogły ustalić kryteria oceny. Żaden android, bez względu na swój potencjał intelektualny, nie mógł niczego zrozumieć z zespolenia, które zachodziło systematycznie w kręgach wyznawców merceryzmu. A przecież było to zjawisko, którego zarówno on, jak i każdy, nawet niedorozwinięty kurzy móżdżek, doświadczał bez najmniejszych problemów.

Zastanawiał się, tak jak robiło to od czasu do czasu wiele innych osób, dlaczego poddawane pomiarom empatycznym androidy okazują się całkowicie bezradne. Najwyraźniej empatia istnieje tylko w ludzkiej społeczności, podczas gdy inteligencję można odnaleźć we wszystkich biologicznych gromadach i rzędach, nie wyłączając pajęczaków. Przede wszystkim umiejętności empatyczne wymagają rozwiniętego instynktu grupowego. Pojedynczemu organizmowi, takiemu jak pająk, są one zbędne, a nawet przeszkadzałyby mu przeżyć. Niewątpliwie dzięki nim zdawałby sobie sprawę, że jego ofiara pragnie żyć. W związku z tym wszystkie drapieżniki, nawet wysoko rozwinięte ssaki, takie jak na przykład kotowate, wyginęłyby z głodu.

Empatia, doszedł kiedyś do wniosku, musiałaby się ograniczać do stworzeń trawożernych albo przynajmniej wszystkożernych, które zdołałyby się powstrzymać od spożywania mięsa. Przecież empatia zaciera granice między napastnikiem i ofiarą, między zwycięzcą i pokonanym. Podobnie jak w czasie zespolenia z Mercerem, kiedy wszyscy razem wchodzili w górę, a kiedy cykl się kończył, razem wpadali w jamę świata grobów. Przypominało to osobliwe obosieczne ubezpieczenie biologiczne. Gdy bowiem jakaś istota odczuwa radość, to i we wszystkich innych jest jakiś okruch radości. Jednak jeżeli jakieś jestestwo cierpi, cała zbiorowość nie może być zupełnie obojętna na jego ból. Zwierzęta stadne, takie jak człowiek, dzięki empatii zwiększyły swój współczynnik przeżycia. Sowy lub kobry by wyginęły.

Najwidoczniej humanoidalny robot był samotnym drapieżnikiem.

Rick tak właśnie lubił o nich myśleć. Dzięki temu jego praca stawała się łatwiejsza do zniesienia. Usuwając — to znaczy zabijając — andka, nie naruszał sformułowanych przez Mercera zasad życia. Będziesz zabijał jedynie zabójców — oznajmił im Mercer w roku, w którym na Ziemi pojawiły się skrzynki empatyczne. I w miarę jak merceryzm zmieniał się w normalną doktrynę religijną, niepostrzeżenie, zakulisowo rozwijało się również pojęcie Zabójców. W merceryzmie Zło Absolutne szarpie wytarty płaszcz mężczyzny, który potykając się, idzie pod górę, ale nigdy do końca nie było jasne, kogo lub co symbolizuje owa kwintesencja zła. Mercerysta czuł zło, nie rozumiejąc go. Innymi słowy, mógł dostrzec ledwo zauważalną obecność Zabójców tam, gdzie uznał to za słuszne. Dla Ricka Deckarda zbiegły humanoidalny robot, który zabił swojego pana, i został wyposażony w inteligencję stawiającą go pod tym względem wyżej od wielu istot ludzkich, nie dbał o zwierzęta, nie mógł odczuwać empatycznej radości z sukcesów innej formy życia ani smutku z jej niepowodzeń, uosabiał Zabójców.

Myśląc o zwierzętach, Rick przypomniał sobie strusia widzianego w sklepie ze zwierzętami. Na jakiś czas odsunął od siebie dane modułu mózgowego Nexus-6, wziął szczyptę tabaki Mrs. Siddon's 3 & 4 i pogrążył się w myślach. Potem spojrzał na zegarek i stwierdził, że ma jeszcze czas. Pochylił się nad stojącym na biurku wideofonem i polecił pannie Marsten:

— Proszę mnie połączyć ze sklepem zoologicznym „Szczęśliwy Pies" przy Sutter Street.

— Tak jest, proszę pana — odparła panna Marsten i otworzyła książkę telefoniczną.

Przecież nie mogą chcieć za strusia aż tyle, pomyślał Rick. Spodziewają się, że klient potarguje się jak za dawnych czasów przy kupnie samochodów.

— Sklep zoologiczny „Szczęśliwy Pies" — rozległ się męski głos i na ekranie wideofonu Ricka pojawiła się maleńka uśmiechnięta twarz. W tle słychać było hałasujące zwierzęta.

— Chodzi mi o strusia, którego trzymacie państwo w oknie wystawowym — powiedział Rick, bawiąc się stojącą na biurku ceramiczną popielniczką. — Jaką zaliczkę musiałbym za niego wpłacić?

— Zobaczmy — rzekł sprzedawca, sięgając po pióro i blok papieru. — Jedna trzecia płatna przy zakupie. — Zastanowił się przez chwilę. — Przepraszam, ale czy będzie nam pan też coś sprzedawał?

— Jeszcze się nie zdecydowałem — odparł ostrożnie Rick.

— Powiedzmy, że sprzedajemy na trzydziestomiesięczne raty — powiedział ekspedient. — Z bardzo niskim oprocentowaniem w wysokości sześciu procent miesięcznie. W rezultacie pańska miesięczna płatność po rozsądnym potrąceniu...

— Musicie państwo obniżyć cenę — oznajmił Rick. — Opuśćcie dwa tysiące, a niczego nie przyniosę do sprzedaży. Przyjdę z gotówką. — Dave Holden, pomyślał Rick, jest wyłączony z akcji. To mogłoby bardzo pomóc... Wszystko zależy od tego, ile w najbliższym miesiącu pojawi się przydziałów.

— Proszę pana — odezwał się ekspedient — nasza cena wyjściowa już i tak jest o tysiąc dolarów niższa od kosztów własnych. Proszę sprawdzić w Sidneyu, poczekam. Chciałbym, aby sam pan przyznał, że żądamy uczciwej ceny.

Chryste, pomyślał Rick, trzymają się twardo. Jednak, po prostu dla sportu, wyciągnął z kieszeni marynarki wymiętego Sidneya, przekartkował do pozycji „Struś przecinek samiec/samica, stary/młody, chory/zdrowy, pierwszy właściciel/kolejny właściciel" i sprawdził ceny.

— Pierwszy właściciel, samiec, młody, zdrowy — poinformował go sprzedawca. — Trzydzieści tysięcy dolarów. — On również miał przed sobą otwartego Sidneya. — Liczymy dokładnie tysiąc poniżej kosztów. A więc pańska zaliczka...

— Przemyślę to — odparł Rick — i zadzwonię do państwa.

— Jak się pan nazywa, sir? — spytał czujnie ekspedient, gdy Deckard miał już odłożyć słuchawkę.

— Frank Merriwell — powiedział Rick.

— Mogę prosić o adres, panie Merriwell? To na wypadek, gdyby zadzwonił pan pod moją nieobecność.

Rick wymyślił adres i rozłączył się. Pieniądze... pomyślał. Znowu podniósł słuchawkę i rzucił ostro: — Proszę wyjście na miasto, panno Marsten. I niech pani nie słucha rozmowy, jest poufna. — Spojrzał na nią ostro.

— Tak jest, proszę pana — powiedziała panna Marsten. — Proszę wybrać numer. — Potem rozłączyła się, pozostawiając go sam na sam ze światem zewnętrznym.

Wybrał z pamięci numer zakładu z pseudozwierzętami, w którym kupił swoją sztuczną owcę. Na ekranie pojawił się mężczyzna ubrany jak weterynarz.

— Doktor McRae — przedstawił się.

— Tu mówi Deckard. Ile kosztuje elektryczny struś?

— Och, sądzę, że mniej niż osiemset dolarów. Kiedy chciałby pan dostawę? Musielibyśmy go dla pana zrobić. Nie ma obecnie szczególnego popytu na...

— Porozmawiam z panem później — przerwał mu Rick. Spojrzał na zegarek i przekonał się, że jest już dziewiąta trzydzieści. — Do widzenia.

Szybko się rozłączył, podniósł z fotela i wkrótce już stał przed drzwiami gabinetu inspektora Bryanta. Minął jego recepcjonistkę, przystojną, o długich do pasa, zaplecionych w warkocze srebrzystych włosach, potem sekretarkę, starożytnego potwora z jurajskiego bagna, chytrego i znieruchomiałego niby jakaś archaiczna zjawa zastygła w świecie grobów. Żadna z kobiet nie odezwała się do niego ani on do nich. Otworzył wewnętrzne drzwi i skinął głową przełożonemu, który rozmawiał właśnie przez telefon. Usiadł, wyciągnął przyniesione dane na temat Nexusa-6 i kiedy inspektor Bryant prowadził rozmowę, przeczytał je ponownie.

Czuł przygnębienie. A przecież, logicznie rzecz biorąc, nagłe wyłączenie Dave'a z obiegu powinno przynieść mu choć trochę zadowolenia.

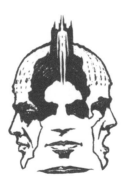

Rozdział IV

Zapewne martwię się, doszedł do wniosku Rick Deckard, że to, co przytrafiło się Dave'owi, może się przytrafić i mnie. Andek, który był na tyle sprytny, że trafił go z lasera, pewnie zdoła uporać się również ze mną. Ale jednak nie o to chodziło.

— Widzę, że przyniosłeś ściągawkę na temat nowego modułu mózgowego — stwierdził inspektor Bryant, odkładając słuchawkę wideofonu.

— Tak — odparł Rick. — Słyszałem biurowe plotki na ten temat. Z iloma andkami mamy do czynienia i jak wielu Dave'owi udało się załatwić?

— Zaczęliśmy z ośmioma — rzekł Bryant, spoglądając do notatek. — Usunął dwa pierwsze.

— A pozostałe sześć jest tu, w północnej Kalifornii?

— Mamy takie informacje. Dave też tak przypuszcza. To z nim właśnie rozmawiałem. Mam notatki, leżały w jego biurku. Powiada, że jest w nich wszystko, co wie. — Bryant postukał palcem w plik papierów. Na razie nie robił wrażenia, że chce przekazać je Rickowi, ale z jakiegoś powodu sam je kartkował, marszcząc brwi i co chwila oblizując wargi.

— Nie mam teraz nic w harmonogramie — stwierdził Rick. — Jestem gotów przejąć sprawy Dave'a.

— Sprawdzając podejrzanych osobników, Dave stosował Zmodyfikowaną Skalę Voigta-Kampffa. Zdajesz sobie sprawę, w każdym razie powinieneś zdawać sobie sprawę, że ten test nie dotyczy konkretnie nowego modułu mózgowego. Żaden test ich nie dotyczy. Ale skala Voigta zmodyfikowana trzy lata temu przez Kampffa to wszystko, czym dysponujemy. — Przerwał i zastanowił się. — Dave uważał ją za dokładną. Może miał rację. Zanim jednak zabierzesz się do tej szóstki, chciałbym ci coś zaproponować. — Znowu postukał palcem w plik notatek. — Leć do Seattle i pogadaj z ludźmi z Korporacji Rosena. Każ im zademonstrować reprezentatywne próbki typów, w których stosuje się nowy moduł Nexus-6.

— I przeprowadzę na nich test Voigta-Kampffa — uzupełnił Rick.

— To bardzo prosto brzmi — powiedział Bryant właściwie do siebie.

— Słucham?

— Myślę, że gdy będziesz w powietrzu, sam porozmawiam z Korporacją Rosena — oznajmił Bryant i spojrzał na Ricka. Poobgryzawszy paznokieć, w końcu podjął decyzję. — Chcę z nimi omówić możliwość włączenia do grupy, obok nowych androidów, również kilku ludzi. Ty jednak nie zostaniesz poinformowany, którzy to. Sam ich wybiorę, uzgodniwszy to z producentem. Zanim tam dotrzesz, powinni już wszystko przygotować. —

Ostrym ruchem wycelował palec w Ricka. Twarz miał surową. —
Po raz pierwszy będziesz pełnił obowiązki starszego łowcy. Dave
wie bardzo dużo, ma wiele lat doświadczenia.

— Ja również — odparł Rick z napięciem w głosie.

— Zadania, które wykonywałeś, przechodziły do ciebie od
Dave'a. On decydował, które należy ci przekazać, a które nie.
Teraz jednak masz do czynienia z sześcioma, które miał zamiar
usunąć osobiście. A jeden z nich zdołał go dopaść pierwszy.
Ten. — Bryant przekręcił leżące przed nim notatki tak, by Rick
mógł do nich zajrzeć. — Max Polokov — oznajmił. — Pod takim
nazwiskiem w każdym razie występuje. Zakładamy oczywiście,
że Dave ma rację. Wszystko, cała lista, opiera się na założeniach.
A jednak Zmodyfikowana Skala Voigta-Kampffa została zasto-
sowana jedynie do pierwszych trzech. Dwóch, których Dave
usunął, a potem do Polokova. Andek strzelił do niego z lasera,
gdy Dave przeprowadzał na nim test.

— Co dowodzi, że Dave miał rację — stwierdził Rick. — W przeciwnym razie nie byłoby na niego zamachu. Polokov nie miałby
motywu.

— Ruszaj do Seattle — polecił Bryant. — Nic nie mów im pierwszy. Załatwię to sam. Posłuchaj. — Wstał i popatrzył poważnie
na Ricka. — Gdy będziesz tam robił test Voigta-Kampffa i ktoś
z ludzi go nie przejdzie...

— To niemożliwe — oznajmił Rick.

— Pewnego dnia, kilka tygodni temu, rozmawiałem z Dave'em
właśnie o tym. Dostałem notatkę z radzieckiej policji, samej
WOP. Rozkolportowano ją na całej Ziemi i w koloniach. Grupa
psychiatrów z Leningradu złożyła WOP następującą propozycję. Chcieli zastosować najnowszy i najbardziej precyzyjny ana-
lityczny instrument badania profilu osobowości używany do

identyfikacji androidów — innymi słowy skalę Voigta-Kampffa — w badaniach starannie dobranej grupy schizoidalnych i schizofrenicznych pacjentów ludzi. Szczególnie tych, którzy zdradzają objawy tak zwanego spłaszczenia rezultatu. Słyszałeś o tym?

— To właśnie określa skala — odparł Rick.

— W takim razie rozumiesz, czego się obawiali.

— Ten problem istniał zawsze. Odkąd po raz pierwszy zetknęliśmy się z androidami podszywającymi się pod ludzi. Jednomyślną opinię policji poznał pan z napisanego osiem lat temu artykułu Luriego Kampffa *Blokady personifikacyjne u nie zdegenerowanego schizofrenika*. Kampff porównał zmniejszone zdolności empatyczne zidentyfikowane u chorych umysłowo ludzi i powierzchownie podobne, ale zasadniczo...

— Leningradzcy psychiatrzy uważają — przerwał mu brutalnie Bryant — że nie wszyscy ludzie przeszliby przez test Voigta-Kampffa. Gdybyś przebadał ich w czasie swojej pracy policyjnej, uznałbyś ich za humanoidalne roboty. Usunąłbyś ich, ale byłaby to pomyłka.

Zamilkł, czekając na odpowiedź Ricka.

— No tak — rzekł Rick — ale ci osobnicy są...

— W zakładach zamkniętych — dopowiedział Bryant. — Nie potrafią funkcjonować w normalnym życiu. Z całą pewnością nie uniknęliby rozpoznania jako zaawansowani psychotycy — chyba że załamanie nastąpiło niedawno, gwałtownie i nie było w pobliżu nikogo, kto mógłby to spostrzec. Ale hipotetycznie jest to bardzo prawdopodobne!

— Szansa jedna na milion — odparł Rick. Domyślił się jednak, do czego inspektor zmierza.

— Dave'a niepokoiło właśnie pojawienie się nowego, zmodyfikowanego typu Nexus-6 — ciągnął Bryant. — Jak wiesz, Korporacja Rosena zapewniła nas, że Nexusa-6 można zidentyfikować standardowym testem określającym. Uwierzyliśmy im na słowo. A teraz jesteśmy zmuszeni, choć to było do przewidzenia, ustalić wszystko na własną rękę. Właśnie to będziesz robił w Seattle. Doskonale zdajesz sobie sprawę, że mogą cię spotkać rozmaite niepowodzenia, prawda? Jeżeli nie zdołasz wyodrębnić wszystkich humanoidalnych robotów, będzie to oznaczało, że nie mamy niezawodnego narzędzia analitycznego i być może nigdy nie zdołamy odnaleźć tych, którzy nam uciekli. Jeżeli na podstawie testów uznasz człowieka za androida… — Bryant spojrzał na niego lodowato — będzie to bardzo niezręczna sytuacja, choć nikt, a na pewno nikt z ludzi Rosena, się o tym nie zająknie. W gruncie rzeczy potrafilibyśmy ukrywać to w nieskończoność, choć oczywiście będziemy musieli poinformować WOP, a oni z kolei powiadomią Leningrad. W końcu wszystko wyjdzie na jaw, ale do tej pory może zdołamy opracować lepszy test. — Podniósł słuchawkę. — Chcesz ruszać? Weź maszynę wydziału i zatankuj z naszego dystrybutora.

Rick wstał.

— Czy mógłbym wziąć ze sobą notatki Dave'a? — zapytał. — Chciałbym je przeczytać w drodze.

— Poczekajmy, aż wypróbujesz swój test w Seattle — oznajmił Bryant. Ton jego głosu był zaskakująco zdecydowany i Rick Deckard to zauważył.

Kiedy wylądował policyjnym hoverem na dachu budynku Korporacji Rosena w Seattle, dostrzegł czekającą na niego młodą kobietę. Była szczupła i czarnowłosa, miała nowe duże okulary z filtrem przeciwpyłowym. Podeszła do jego maszyny, trzymając ręce głęboko wepchnięte w kieszenie długiego płaszcza w jaskrawe pasy. Na jej drobnej twarzy o wyrazistych rysach malował się posępny niesmak.

— O co chodzi? — spytał ją Rick, wychodząc z pojazdu.

— Och, nie wiem — odpowiedziała wymijająco. — Pewnie to przez ton, jakim rozmawiano z nami przez wideofon. Nieważne. — Gwałtownie wyciągnęła rękę, a Rick ujął ją odruchowo. — Jestem Rachael Rosen. Jak mniemam, pan nazywa się Deckard.

— To nie był mój pomysł — zapewnił ją.

— Tak, inspektor Bryant nam powiedział. Ale jest pan oficjalnym przedstawicielem Wydziału Policji San Francisco, a to oznacza, iż nie uważacie, że nasz produkt ma jedynie przynieść dobro społeczeństwu. — Spojrzała na niego spod długich, zapewne sztucznych rzęs.

— Humanoidalny robot jest taką samą maszyną jak każda inna — stwierdził Rick. — Charakter jego funkcji w bardzo krótkim czasie może przejść od dobrodziejstwa do zagrożenia. Dobrodziejstwo nie jest naszym problemem.

— Ale kiedy występuje zagrożenie, wtedy pan wkracza — rzekła Rachael Rosen. — Czy to prawda, panie Deckard, że jest pan łowcą?

Wzruszył ramionami i niechętnie kiwnął głową.

— Uznanie androida za przedmiot przychodzi panu bez trudu — dodała dziewczyna. — W związku z tym może go pan, jak się to określa, usunąć.

— Czy wybraliście dla mnie grupę doświadczalną? — zapytał. — Chciałbym... — Urwał. Zobaczył nagle ich zwierzęta.

Pomyślał, że tak potężną korporację na nie stać. Najwidoczniej nieświadomie spodziewał się takiej kolekcji, nie był więc zdziwiony, ale czuł coś jakby tęsknotę. Spokojnym krokiem podszedł ku najbliższej zagrodzie. Czuł już ich zapach, a właściwie kilka zapachów bijących od stojących lub siedzących stworzeń. A także śpiących, jak w wypadku czegoś, co przypominało szopa. Nigdy dotąd w całym życiu nie widział na własne oczy szopa. Znał to zwierzę jedynie z trójwymiarowych filmów w telewizji. Z jakiegoś powodu pył zaatakował ten gatunek niemal tak gwałtownie jak ptaki, toteż nie ocalał chyba ani jeden szop. Odruchowo wyciągnął bardzo zużytego Sidneya i sprawdził notowania tego zwierzęcia z wszystkimi wariantami. Ostatnie ceny podane były oczywiście kursywą, tak jak na perszerony. Nie było w sprzedaży żadnego, za żadną cenę. W katalogu Sidneya podano tylko, na jaką kwotę opiewała ostatnia transakcja związana z szopem. Suma była astronomiczna.

— Wabi się Bill — powiedziała stojąca za jego plecami dziewczyna. — Szop Bill. Dostaliśmy go dopiero w ubiegłym roku od jednej z powiązanych z nami spółek. — Wskazała obok niego i dopiero wtedy zwrócił uwagę na uzbrojonych strażników, którzy stali z gotowymi do strzału lekkimi, szybkostrzelnymi pistoletami maszynowymi Škody. Od wylądowania Deckarda nie spuszczali z niego oczu. A przecież, pomyślał, mój hover ma wyraźne oznaczenia pojazdu policyjnego.

— Wielki producent androidów — stwierdził z namysłem — inwestuje nadwyżki kapitałowe w żywe zwierzęta.

— Niech pan spojrzy na sowę — zwróciła jego uwagę Rachael. — O tam, obudzę ją dla pana. — Popatrzyła na małą, odległą klatkę, w której w samym środku sterczało rozłożyste, uschnięte drzewo.

Nie ma już sów, niemal się wyrwało Deckardowi. Albo tak nam wmówiono. Sidney, pomyślał, podaje je jako wymarły gatunek: czyściutka literka W pojawiająca się regularnie w całym katalogu. Kiedy dziewczyna szła przed nim, sprawdził to i okazało się, że miał rację. Sidney nigdy nie popełnia błędów, pomyślał. Przecież o tym wiemy. Na czym innym moglibyśmy polegać?

— Jest sztuczna — powiedział w nagłym olśnieniu. Owładnęło nim ostre, intensywne rozczarowanie.

— Nie — zaprzeczyła Rachael. Uśmiechnęła się do Ricka. Jej równe, drobne zęby były tak samo białe jak oczy i włosy czarne.

— Ale Sidney podaje, że one wymarły — oznajmił, usiłując pokazać jej katalog. Udowodnić.

— Nie kupujemy u Sidneya ani u żadnego innego handlarza zwierząt — odparła dziewczyna. — Wszystkie sprowadzamy od osób prywatnych i ceny, które płacimy, nie są rejestrowane. Mamy również własnych przyrodników — dodała. — Obecnie pracują w Kanadzie. Pozostało tam jeszcze całkiem sporo lasów. Wystarcza małym zwierzętom i swego czasu wystarczało ptakom.

Przez długą chwilę stał, patrząc na drzemiącą na grzędzie sowę. Przez głowę przebiegały mu tysiące myśli — o wojnie, o dniach, kiedy sowy spadały z nieba. Przypominał sobie, jak za jego dziecinnych lat wymierał gatunek po gatunku i codziennie donosiły o tym gazety — jednego dnia lisy, następnego borsuki, aż wreszcie ludzie przestali czytać ciągłe nekrologi zwierząt.

Pomyślał również o swojej potrzebie posiadania prawdziwego zwierzęcia. Ponownie poczuł, że ogarnia go nienawiść do elektrycznej owcy, o którą musiał się troszczyć. Zupełnie jakby żyła naprawdę. Tyrania przedmiotu, pomyślał. Ona nie wie, że ja w ogóle istnieję. Jak androidy nie umie przyjąć do świadomości istnienia kogoś innego. Nigdy dotąd nie dostrzegł podobieństwa między elektrycznymi zwierzętami i andkami. Elektryczne zwierzęta, myślał, można uznać za podgrupę andków, coś w rodzaju prymitywnych robotów. Albo na odwrót — androidy można uznać za wysoce rozwiniętą, ewolucyjną wersję pseudozwierząt. Obydwa punkty widzenia napawały go odrazą.

— Gdybyście państwo sprzedawali tę sowę — zapytał Rachael Rosen — to ile byście za nią chcieli i jak duża byłaby zaliczka?

— Nigdy nie sprzedamy naszej sowy. — Przyglądała mu się z zadowoleniem pomieszanym ze współczuciem. — A nawet gdybyśmy ją wystawili na sprzedaż, nie sądzę, aby było pana na nią stać. Jakie zwierzę ma pan w domu?

— Owcę — odparł. — Czarnogłowego suffolka.

— No cóż, powinien pan być szczęśliwy.

— Jestem — odparł. — Po prostu zawsze chciałem mieć sowę, nawet dawno temu, zanim wszystkie padły martwe. — Zreflektował się. — Wszystkie oprócz waszej.

— Nasz obecny program finansowy i plany ogólne zakładają zdobycie dodatkowej sowy, którą chcielibyśmy skojarzyć ze Scrappym — powiedziała Rachael, wskazując sowę na grzędzie. Ptak otworzył żółte szczeliny oczu, które po chwili zamknęły się, gdy znów zapadł w drzemkę. Pierś ptaka uniosła się i opadła, jakby westchnął przez sen.

Rick oderwał się od tego widoku — czuł, że jego podziw i pożądanie zaczynają podchodzić goryczą — i powiedział:

— Chciałbym teraz przeprowadzić test. Możemy zejść na dół?

— Mój wuj odebrał telefon od pańskiego przełożonego i zapewne już…

— Jesteście państwo rodziną? — zdziwił się Rick. — Taka wielka korporacja to interes r o d z i n n y?

Rachael dokończyła zdanie:

— Wujek Eldon zapewne już przygotował grupę androidów i kontrolną. Chodźmy więc. — Ruszyła w stronę windy. Ręce znów wetknęła głęboko w kieszenie płaszcza. Nie obejrzała się i poirytowany Rick wahał się przez chwilę, nim ruszył za nią.

— Co ma mi pani za złe? — zapytał ją w windzie.

Zastanowiła się, jakby do tej pory nie zdawała sobie z tego sprawy.

— No cóż — powiedziała — pan, mizerny funkcjonariusz policji, znalazł się w wyjątkowej sytuacji. Rozumie pan, co mam na myśli? — Zerknęła na niego kątem oka. W jej wzroku wyraźnie malowała się złośliwość.

— Jaką część obecnej produkcji — zapytał — stanowią modele wyposażone w moduł Nexus-6?

— Całość — odparła Rachael.

— Jestem pewien, że test Voigta-Kampffa będzie miał do nich zastosowanie.

— A jeżeli nie, będziemy musieli wycofać Nexusa-6 z rynku. — Jej czarne oczy zapłonęły. Patrzyła na niego z gniewem, kiedy winda się zatrzymała i otworzyły się drzwi. — A to dlatego, że policja nie potrafi porządnie wykonać swojej pracy i odszukać garstki rozwiniętych robotów, które wyrwały się spod kontroli...

Podszedł do nich z wyciągniętą dłonią wytworny mężczyzna, starszy i szczupły. Miał zaaferowany wyraz twarzy, zupełnie jakby wszystko zaczęło dla niego nabierać zbyt szybkiego tempa.

— Jestem Eldon Rosen — przedstawił się Rickowi, gdy ściskali sobie dłonie. — Niech pan posłucha, Deckard. Zdaje pan sobie sprawę, że tu, na Ziemi, niczego nie wytwarzamy, prawda? Nie możemy po prostu zatelefonować do działu produkcji i zamówić jakiś zestaw wyrobów. Nie oznacza to, że nie chcemy czy nie mamy ochoty współpracować z wami. W każdym razie zrobiłem wszystko, co mogłem. — Trzęsącą się lewą dłonią przeczesał rzedniejące włosy.

Rick wskazał wydziałową walizeczkę i powiedział:

— Jestem gotów. Możemy zaczynać. — Nerwowość starszego Rosena dodała mu pewności siebie. Boją się mnie, pomyślał zaskoczony. Rachael Rosen także. Zapewne mógłbym ich zmusić do zaprzestania produkcji Nexusa-6. To, co zrobię przez tę godzinę, będzie miało wpływ na ich działania. Możliwe, że określi to przyszłość Korporacji Rosena w Stanach Zjednoczonych, a także w Rosji i na Marsie.

Dwoje Rosenów przyglądało mu się z obawą. Rick wyczuwał fałsz w ich zachowaniu. Przyjeżdżając tu, ściągnął na nich nicość, wprowadził pustkę i ciszę gospodarczej śmierci. Sprawują władzę nad zbyt wielką potęgą, pomyślał. Przedsiębiorstwo to uważane jest za jedną z przemysłowych dźwigni obecnego systemu. Produkcja androidów w gruncie rzeczy została tak ściśle powiązana z kolonizacją, że jeśli jeden z tych elementów upadnie, wkrótce stanie się tak z drugim. Korporacja Rosena oczywiście doskonale to rozumiała. Eldon Rosen najwidoczniej zdawał sobie z tego sprawę, odkąd zadzwonił do niego Harry Bryant.

— Na państwa miejscu nie przejmowałbym się tym — powiedział Rick, gdy Rosenowie prowadzili go szerokim, jaskrawo oświetlonym korytarzem. Czuł się zadowolony i spokojny. Sytuacja ta, bardziej niż jakakolwiek inna do tej pory, sprawiała mu przyjemność. No cóż, wkrótce się przekonają, co może, a czego nie może dokonać jego aparatura testowa.

— Jeżeli nie macie państwo zaufania do skali Voigta-Kampffa — poinformował — to może wasza organizacja opracuje alternatywny test. W końcu spoczywa na was część odpowiedzialności. O, dziękuję.

Rosenowie wprowadzili go do eleganckiego, przypominającego salon pomieszczenia wyposażonego w dywany, lampy, sofę i nowoczesne stoliki, na których leżały świeże czasopisma — w tym, jak zauważył, nawet lutowe uzupełnienie katalogu Sidneya, którego jeszcze nie miał okazji obejrzeć. Prawdę mówiąc, miało się ono znaleźć w kolportażu dopiero za trzy dni. Najwyraźniej Korporacja Rosena miała bardzo dobre układy z Sidneyem.

Z irytacją sięgnął po suplement.

— To naruszenie społecznego zaufania — orzekł. — Nikt nie powinien przed czasem znać nowych cen.

W gruncie rzeczy mogło to być złamanie prawa federalnego, pomyślał. Spróbował sobie przypomnieć odpowiedni przepis i niezadowolony stwierdził, że nie może.

— Zabieram to ze sobą — oznajmił. Otworzył walizeczkę i wrzucił do niej suplement.

Po chwili milczenia Eldon Rosen rzekł zmęczonym tonem:

— Panie oficerze, proszę posłuchać. Nie mieliśmy zamiaru wykorzystywać...

— Nie jestem oficerem policji — przerwał mu Rick. — Jestem łowcą. — Z otwartej walizeczki wyjął aparaturę Voigta-Kampffa, usadowił się przy najbliższym stoliku i zaczął łączyć dość proste elementy wykrywacza kłamstw.

— Może pan przysłać pierwszego badanego — poinformował Eldona Rosena, który sprawiał wrażenie jeszcze bardziej zdezorientowanego niż dotąd.

— Chciałabym to obserwować — odezwała się Rachael i również usiadła. — Nigdy nie widziałam testu empatycznego. Co pan mierzy tymi rzeczami?

— To — powiedział Rick, unosząc płaski samoprzylepny krążek z przewodami — monitoruje rozszerzanie się naczyń włoskowatych w tkance twarzy. Wiemy, że to odruch bezwarunkowy, tak zwany rumieniec, będący reakcją na bodziec, którym jest wstrząs moralny. Reakcji tej nie można świadomie kontrolować, tak jak przewodnictwa elektrycznego skóry, rytmu oddechu czy pracy serca. — Pokazał jej następny instrument, ołówkową latarkę o wąskim promieniu światła. — To z kolei śledzi zmiany napięcia mięśni ocznych. Obok czerwienienia się można zarejestrować niewielkie, ale zauważalne ruchy...

— ...które nie występują u androidów — skończyła za niego Rachael.

— Pytania kontrolne nie wywołują takich reakcji u androidów. Choć biologicznie zachodzą. Potencjalnie.

— Proszę przeprowadzić na mnie test — oznajmiła Rachael.

— Dlaczego? — spytał zaskoczony Rick.

— Wybraliśmy ją do pierwszego pańskiego badania — ochryple odezwał się Eldon Rosen. — Może jest androidem. Mamy nadzieję, że zdoła to pan ustalić.

Deckard usiadł, wykonując całą serię niezgrabnych ruchów, wyjął papierosa, zapalił go i skupił się na aparaturze.

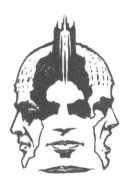

Rozdział V

Wąski biały promień świecił równo w lewy kącik oka Rachael Rosen. Do jej policzka przylepiony był krążek z drucianej siatki. Dziewczyna sprawiała wrażenie zupełnie spokojnej.

Rick Deckard siedział w miejscu, z którego widział dwie wskazówki aparatury testującej Voigta-Kampffa.

— Zamierzam przedstawić kilka sytuacji społecznych — powiedział. — Pani słownie wyrazi swoją reakcję najszybciej, jak potrafi. Oczywiście będę mierzył czas.

— I oczywiście — stwierdziła wyzywająco Rachael — to, co powiem, nie będzie brane pod uwagę. Jedynie reakcje mięśni oka i naczyń włoskowatych, które traktuje pan jako wskaźniki. Ale będę odpowiadała — chcę przez to przejść i... — Urwała. — Proszę zaczynać, panie Deckard.

Rick wybrał sytuację trzecią:

— Dostała pani w prezencie urodzinowym portfel z cielęcej

skóry. — Obie wskazówki wychyliły się gwałtownie z zielonych pól na czerwone, a potem cofnęły.

— Nie przyjęłabym go — odparła Rachael. — I doniosła policji na osobę, która chciała mi go dać.

Rick zanotował odpowiedź i przeszedł do ósmej sytuacji ze skali profilu osobowości Voigta-Kampffa.

— Spotyka pani małego chłopca, który pokazuje pani swoją kolekcję motyli, a także słoik, w którym je zabija.

— Prowadzę go do lekarza. — Głos Rachael był cichy, ale stanowczy. Znowu obie wskazówki wychyliły się, ale nie tak daleko. Odnotował i to.

— Siedzi pani i ogląda telewizję — ciągnął — i nagle spostrzega pani, że po przegubie pełznie pani osa.

— Zabiłabym ją — odpowiedziała Rachael. Tym razem wskazówki prawie nie drgnęły, jedynie przez chwilę słabo zadygotały. Zrobił notatkę i rozważnie wybrał następną sytuację.

— W czasopiśmie znajduje pani całostronicowe kolorowe zdjęcie nagiej dziewczyny — przerwał.

— Sprawdza pan, czy jestem androidem — spytała ironicznie Rachael — czy lesbijką?

Wskazówki nie wychyliły się.

— Pani mąż lubi ten obrazek — ciągnął Deckard. Wskazówki w dalszym ciągu nie odnotowały reakcji. — Dziewczyna leży na brzuchu — dodał — na wielkiej niedźwiedziej skórze. — Wskazówki pozostały nieruchome. Reakcja androida, zauważył w duchu. Nie dostrzegła najważniejszego: futra martwego zwierzęcia. Jej czy raczej tego umysł był skupiony na innych czynnikach. — Pani mąż wiesza ten obrazek na ścianie gabinetu — dokończył i tym razem wskazówki poruszyły się.

— Z całą pewnością mu na to nie pozwolę — odparła Rachael.

— Dobrze — rzekł i skinął głową. — A teraz proszę się zastanowić nad taką sytuacją. Czyta pani powieść napisaną dawno temu, przed wojną. Bohaterowie zwiedzają Fisherman's Wharf w San Francisco. Zgłodnieli i wchodzą do restauracji, w której podaje się owoce morza. Jeden z bohaterów zamawia homara, którego kucharz na jego oczach wrzuca do garnka z wrzątkiem.

— O Boże! — zawołała Rachael. — To straszne! Czy rzeczywiście tak robili? To obrzydliwe! Naprawdę żywego homara? — Wskazówki jednak nie zareagowały prawidłowo. Zasadniczo odpowiedź była prawidłowa. Ale udawana.

— Wynajmuje pani chatę w górach — rzekł — w rejonie wciąż jeszcze zielonym. Zbudowana jest z sękatych bali sosnowych i ma wielki kominek.

— Tak — niecierpliwie rzuciła Rachael, kiwając głową.

— Na ścianach ktoś rozwiesił stare mapy. Są tam też ryciny Curriera i Ivesa, a nad kominkiem wisi głowa jelenia, byka o wielkim porożu. Ludzie, z którymi pani tam przyjechała, podziwiają wystrój wnętrza i postanawia pani…

— Na pewno nie zgodzę się na głowę jelenia — powiedziała Rachael. Wskazówki wychyliły się, lecz nie wyszły poza zielone pole.

— Zachodzi pani w ciążę — ciągnął Rick — z człowiekiem, który obiecał się z panią ożenić. Mężczyzna ten odchodzi z inną kobietą, pani najlepszą przyjaciółką. Dokonuje pani aborcji i…

— Nigdy nie poddałabym się aborcji — oświadczyła Rachael. — A poza tym to niemożliwe. Dostaje się za nią dożywocie, a policja zawsze czuwa. — Tym razem obydwie wskazówki wychyliły się gwałtownie na czerwone pole.

— Skąd pani o tym wie? — spytał zaciekawiony Rick. — O trudnościach z przeprowadzeniem aborcji?

— Wszyscy wiedzą — odparła Rachael.

— Odniosłem wrażenie, że mówi pani na podstawie osobistego doświadczenia. — Bacznie obserwował wskazówki. Ponownie wychyliły się przez całą skalę. — Jeszcze jedno. Spotyka się pani z mężczyzną, który zaprasza panią do siebie. Kiedy już tam jesteście, proponuje drinka. Widzi pani wnętrze sypialni. Jest ciekawie ozdobiona afiszami corridy i podchodzi pani, żeby obejrzeć je z bliska. Mężczyzna idzie za panią i zamyka drzwi. Obejmuje panią i mówi...

— Co to takiego afisze corridy? — przerwała mu Rachael.

— To rysunki, najczęściej kolorowe i dużego formatu, które przedstawiają matadora z czerwoną płachtą i byka, który próbuje go wziąć na rogi. — Pytanie go zaskoczyło. — Ile ma pani lat? — zapytał. Mógł to być poważny czynnik.

— Osiemnaście — odparła Rachael. — No dobrze. A więc mężczyzna zamyka drzwi i obejmuje mnie. Co mówi?

— Czy wie pani, jak kończyły się corridy? — spytał Rick.

— Przypuszczam, że ktoś bywał ranny.

— Byka w końcu zawsze zabijano. — Czekał, obserwując dwie wskazówki. Dygotały bez przerwy, ale nic poza tym. Żadnego konkretnego odczytu. — Ostatnia sytuacja — rzekł. — Dwuczęściowa. Ogląda pani stary film w telewizji, nakręcony przed wojną. Pokazany jest na nim bankiet. Goście zajadają się surowymi ostrygami.

— Pfuj — zareagowała Rachael. Wskazówki wychyliły się gwałtownie.

— Główne danie — ciągnął Rick — to gotowany pies nadziewany ryżem. — Wskazówki wychyliły się mniej, znacznie mniej niż przy surowych ostrygach. — Czy surowe ostrygi są dla pani mniej do przyjęcia niż gotowany pies? Najwidoczniej tak. —

Odłożył ołówek, wyłączył „latarkę" i odlepił z policzka Rachael krążek. — Jest pani androidem — oświadczył. — Tak wynika z testu — poinformował ją, a raczej to, oraz Eldona Rosena, który przyglądał mu się z bólem i troską. Twarz starszego człowieka wykrzywiła się z gniewu. — Mam rację, prawda? — spytał Rick. Żadne z Rosenów nie odpowiedziało. — Proszę posłuchać — rzekł perswazyjnym tonem. — Nie ma między nami żadnej sprzeczności interesów. Dla mnie to, że test Voigta-Kampffa działa, jest niemal tak samo ważne jak dla was.

— Rachael nie jest androidem — odparł Rosen.

— Nie wierzę — zaprotestował Rick.

— Dlaczego miałby kłamać? — zaatakowała go Rachael. — Kłamać powinniśmy raczej w odwrotnej sytuacji.

— Chcę, żeby przeprowadzono analizę pani szpiku kostnego — stwierdził Deckard. — W końcu możemy określić, czy jest pani androidem, czy nie, w sposób organiczny. Wiem, że to powolne i bolesne, ale...

— Z prawnego punktu widzenia — rzekła Rachael — nie można mnie zmusić, bym poddała się badaniom szpiku kostnego. Sąd uznał to za równoznaczne z samooskarżeniem. A poza tym analiza, kiedy przeprowadza się ją na żywej osobie — a nie na ciele usuniętego androida — trwa bardzo długo. Stosujecie ten swój przeklęty test ze względu na specjali. Trzeba ich badać ciągle i dzięki temu wasze instytucje policyjne przemyciły Voigta-Kampffa. Ale przed chwilą powiedział pan prawdę — to koniec testu. — Podniosła się, odeszła od niego i stanęła plecami do niego z rękami opartymi na biodrach.

— Nie chodzi tu o legalność analizy szpiku kostnego — powiedział głucho Eldon Rosen. — Problem polega na tym, że pański test empatyczny zawiódł w wypadku mojej siostrzenicy. Mogę wytłumaczyć, dlaczego jej wyniki przypominały odczyty androida. Rachael wychowała się na pokładzie *Saladera 3*. Urodziła się tam i spędziła czternaście ze swoich osiemnastu lat życia. Jej wychowanie i nauka opierały się wyłącznie na wideotece i wiadomościach o Ziemi, jakimi dysponowało dziewięciu innych, dorosłych członków załogi. A potem, jak pan wie, po przebyciu jednej szóstej drogi do Proximy, statek zawrócił. W przeciwnym razie Rachael nigdy nie zobaczyłaby Ziemi — albo wróciłaby dopiero w bardzo podeszłym wieku.

— Miałby pan podstawy, by mnie usunąć — rzuciła Rachael przez ramię. — W czasie policyjnej obławy mogłabym zostać zabita. Wiem o tym, odkąd znalazłam się tu cztery lata temu. Przechodziłam test Voigta-Kampffa nie po raz pierwszy. W gruncie rzeczy bardzo rzadko opuszczam ten budynek. Ryzyko jest ogromne: te wszystkie blokady drogowe urządzane przez was i policjantów czy lotne patrole, które mają wyłapywać nie zarejestrowanych specjali...

— Oraz androidy — dodał Eldon Rosen. — Oczywiście społeczeństwu się o tym nie mówi. Nie powinno wiedzieć, że androidy są na Ziemi, między nami.

— Nie sądzę, żeby tu były — odparł Rick. — Jestem zdania, że najrozmaitsze służby policyjne u nas i w Związku Radzieckim już je wyłapały. Zaludnienie jest niewielkie, każdy — prędzej czy później — natknie się na kontrolę. Taka w każdym razie była koncepcja.

— Jakie otrzymał pan instrukcje — spytał Eldon Rosen — na wypadek gdyby się okazało, że uznał pan człowieka za androida?

— To sprawa wydziału. — Zaczął układać aparaturę w walizeczce, a dwójka Rosenów obserwowała go w milczeniu. — Oczywiście polecono mi, żebym nie ponawiał testów. Jeżeli badanie zawodzi raz, kolejne próby nie mają sensu. — Zatrzasnął zamki walizki.

— Mogliśmy pana oszukać — powiedziała Rachael. — Nic nas nie zmuszało do przyznania, że wprowadziliśmy pana w błąd. Tak jak w wypadku pozostałych dziewięciu wybranych przez nas osobników. — Gestykulowała gwałtownie. — Mogliśmy po prostu przyjąć wyniki pańskich testów, jakiekolwiek by były.

— Powinienem był zażądać wcześniejszego dostarczenia mi listy badanych. W zalakowanej kopercie. I porównać ją z wynikami moich testów. — Powinna być zgodność. I teraz widzę, uświadomił sobie, że bym ją uzyskał. Bryant miał rację. Dzięki Bogu nie zacząłem polować na podstawie tego testu.

— Tak, chyba powinien pan był tak postąpić — stwierdził Eldon Rosen. Zerknął na Rachael, która skinęła głową. — Rozważaliśmy taką możliwość — przyznał niechętnie.

— Cały problem wynika z waszych metod działania, panie Rosen — powiedział Rick. — Nikt nie zmuszał waszej korporacji, aby doprowadzała produkcję humanoidalnych robotów do punktu, w którym…

— Produkowaliśmy to, czego chcieli koloniści — odparł Eldon Rosen. — Postępowaliśmy zgodnie z uświęconą przez czas zasadą stanowiącą fundament każdego przedsięwzięcia handlowego. Gdyby nasza firma nie produkowała modeli, które coraz bardziej przypominają ludzi, zrobiliby to inni. Kiedy pracowaliśmy nad modułem mózgowym Nexus-6, zdawaliśmy sobie sprawę, jakie to ryzykowne. Ale wasz test Voigta-Kampffa był pomyłką, zanim jeszcze wyprodukowaliśmy ten typ androida. Gdyby nie udało się panu stwierdzić, że Nexus-6 to android, gdyby uznał go pan za człowieka… ale tak się nie stało. — Jego głos robił się twardy i ostry. — Pański wydział policji, podobnie jak inne, mógł usuwać i najprawdopodobniej usuwał ludzi o nie ukształtowanych zdolnościach empatycznych, takich jak moja siostrzenica. Pańska sytuacja, panie Deckard jest wyjątkowo niekorzystna moralnie. Nasza nie.

— Innymi słowy — powiedział ostro Rick — nie będę miał szansy przebadać choćby jednego Nexusa-6. Dlatego, że państwo podrzuciliście mi najpierw tę schizoidalną dziewczynę. — I mój test, uświadomił sobie, został zaprzepaszczony. Nie powinienem był dać się na to złapać, powiedział sobie. Jednak już się stało.

— Mamy pana w garści, panie Deckard — stwierdziła Rachael Rosen cichym, spokojnym głosem i uśmiechnęła się do niego.

Wciąż nie mógł zrozumieć, jak Korporacja Rosena tak łatwo złapała go w pułapkę. To specjaliści, uświadomił sobie. Gigantyczna korporacja, taka jak ta, ma wielkie doświadczenie. W gruncie rzeczy to swego rodzaju zbiorowy umysł. A Eldon i Rachael Rosen są rzecznikami tej zbiorowej osobowości. Najwidoczniej jego błąd polegał na tym, że potraktował ich jak jednostki. Tego błędu już nie popełni.

— Pańskiemu przełożonemu, panu Bryantowi — odezwał się Eldon Rosen — trudno będzie zrozumieć, jak to się stało, że pozwolił nam pan zdezawuować aparaturę testującą, nim jeszcze zaczęła się próba. — Wskazał sufit i Rick zobaczył obiektywy kamer. Straszliwy błąd, który popełnił w rozgrywce z Rosenami, został zarejestrowany. — Uważam, że przede wszystkim — zaproponował Eldon — powinniśmy usiąść i... — Skinął uprzejmie ręką. — Możemy dojść do porozumienia, panie Deckard. Nie ma powodu do niepokoju. Android typu Nexus-6 istnieje. W Korporacji Rosena uważamy to za niepodważalne, a teraz i pan jest chyba tego zdania.

Rachael pochyliła się w stronę Ricka i zapytała:

— Chciałby pan mieć sowę?

— Wątpię, aby to było możliwe — odrzekł, choć dobrze wiedział, co miała na myśli, jaki interes chcą z nim ubić Rosenowie. Wzbierało w nim nieznane dotąd napięcie. Potęgowało się coraz bardziej, aż poczuł, jak powoli eksploduje w każdej części ciała. Niemal boleśnie uświadomił sobie, co się dzieje.

— Ale pan pragnie sowy — rzekł Rosen. Spojrzał pytająco na siostrzenicę. — On chyba nie rozumie...

— Oczywiście, że rozumie — ucięła Rachael. — Dobrze wie, do czego to wszystko zmierza. Prawda, panie Deckard? — Znów pochyliła się ku niemu, tym razem jednak przysunęła się bliżej. Poczuł jej delikatny zapach, niemal ciepło. — Praktycznie już pan to osiągnął, panie Deckard. Praktycznie już pan ma tę sowę! — Spojrzała na Eldona Rosena i rzekła: — Jest łowcą, pamiętasz? Utrzymuje się z nagród, nie z pensji. Czyż nie tak, panie Deckard?

Skinął głową.

— Ile androidów uciekło tym razem? — zapytała Rachael.

— Osiem — odpowiedział po chwili. — Początkowo. Dwa już zostały usunięte, ale przez kogoś innego, nie przeze mnie.

— Ile pan dostaje od androida? — spytała.

Wzruszył ramionami i odparł:

— To zależy.

— Jeżeli nie ma pan odpowiedniego testu — powiedziała Rachael — nie ma pan również sposobu identyfikacji androida. A skoro nie może pan zidentyfikować androida, nie zdobędzie pan nagrody. Ponieważ należy odrzucić skalę Voigta-Kampffa...

— Zastąpi ją nowa skala — rzekł Rick. — To się już zdarzało. — Mówiąc ściśle, trzykrotnie. Ale wtedy nowe skale, nowocześniejsze narzędzia analityczne, były już gotowe. Nie powstała najmniejsza przerwa. Tym razem było inaczej.

— Kiedyś skala Voigta-Kampffa stanie się przestarzała — zgodziła się Rachael. — Ale jeszcze nie teraz. Jesteśmy zgodni, że pozwala identyfikować model Nexus-6, i chcielibyśmy, żeby na jej podstawie kontynuował pan swoją szczególną, osobliwą pracę. — Kołysząc się do przodu i tyłu ze splecionymi na piersiach rękami, patrzyła na niego z napięciem. Próbowała zgłębić jego reakcje.

— Powiedz mu, że może mieć sowę — wychrypiał Eldon Rosen.

— Może pan mieć sowę — powiedziała Rachael, przyglądając mu się. — Tę, która jest na dachu. Scrappy. Ale jeżeli uda nam się znaleźć samca, będziemy chcieli ją sparzyć. I całe potomstwo będzie nasze, to bezdyskusyjny warunek.

— Dzielimy się lęgiem — rzekł Deckard.

— Nie — natychmiast odparła Rachael, a siedzący za nią Eldon Rosen pokręcił głową, wspierając jej odmowę. — Dzięki temu cała linia genetyczna sów należałaby do pana do końca świata. I jeszcze jeden warunek. Nikomu nie może pan zapisać sowy w spadku. Po pańskiej śmierci zostanie zwrócona spółce.

— Brzmi to jak propozycja, bym podpisał na siebie wyrok śmierci — stwierdził Rick. — Dostalibyście wtedy swoją sowę natychmiast. Nie mogę się zgodzić, to zbyt niebezpieczne.

— Jest pan łowcą — rzekła Rachael. — Potrafi się pan posługiwać pistoletem laserowym i ma go pan przy sobie nawet teraz. Jeżeli nie może pan uchronić sam siebie, to jak chce pan usunąć sześć pozostałych andków Nexus-6? Są o wiele sprytniejsze niż stare W-4 Korporacji Gozzi.

— Ale to ja na nie poluję — wyjaśnił. — Gdybym zaś przystał na tę klauzulę o zwrocie sowy, polowano by na mnie. — Pomysł, że ktoś mógłby go tropić, wcale mu się nie podobał. Z doświadczenia wiedział, jaki ma to wpływ na androidy. Świadomość, że jest się ściganym, nawet w nich wywoływała wyraźne zmiany.

— Dobrze — zgodziła się Rachael. — W tej kwestii ustąpimy. Może pan zapisać sowę spadkobiercom. Ale nalegamy na prawo do pełnych lęgów. Jeżeli się pan na to nie zgodzi, niech pan wraca do San Francisco i powie przełożonym, że skala Voigta--Kampffa, przynajmniej gdy p a n się nią posługuje, nie pozwala odróżnić andka od człowieka. A potem niech pan poszuka sobie innej pracy.

— Proszę mi dać trochę czasu — zażądał Rick.

— Dobrze — odparła Rachael. — Zostawiamy pana, tu będzie panu wygodnie. — Spojrzała na zegarek.

— Pół godziny — oznajmił Eldon Rosen. Wraz z Rachael ruszył w milczeniu ku drzwiom. Deckard uświadomił sobie, że powiedzieli wszystko, co chcieli. Reszta należała do niego.

Gdy Rachael zaczęła zamykać drzwi, Rick rzekł posępnie:

— Perfekcyjnie mnie zmanipulowaliście. Macie zarejestrowaną na taśmie moją pomyłkę, wiecie, że moja praca zależy od testu Voigta-Kampffa, a poza tym macie tę cholerną sowę.

— Pańską sowę, mój drogi — powiedziała Rachael. — Pamięta pan? Każemy jej przywiązać do nogi pański adres domowy i wysłać do San Francisco. Wróci pan do domu i to już tam będzie.

To, pomyślał. Wciąż mówi na tę sowę to. Nie ona.

— Chwileczkę — powiedział.

Rachael zatrzymała się w drzwiach i zapytała:

— Zdecydował się pan?

– Chciałbym sprawdzić pani reakcję na jeszcze jedną sytuację z testu Voigta-Kampffa – wyjaśnił. – Proszę usiąść. Rachael zerknęła na wuja. Skinął głową, podeszła więc niechętnie i usiadła jak poprzednio.

– Po co komplikuje pan sprawę? – zapytała, unosząc brwi z wyraźną niechęcią i zmęczeniem.

Rick zawodowym instynktem wyczuł jej napięcie. Znowu skierował promień światła w kącik jej prawego oka i przylepił krążek do policzka. Rachael sztywno patrzyła na światło, nie kryjąc obrzydzenia.

– Widzi pani moją walizeczkę? – zapytał Rick, szukając w niej kwestionariuszy testu Voigta-Kampffa. – Ładna, prawda? Przydziałowa.

– No, no – mruknęła bez zainteresowania Rachael.

– Ze skórki niemowlęcia – wyjaśnił, gładząc czarną walizeczkę. – Stuprocentowo autentyczna. – Zobaczył, jak dwie wskazówki po chwili wychyliły się gwałtownie. Reakcja nastąpiła, ale zbyt późno. Znał prawidłowy czas reakcji do ułamka sekundy. Powinien być zerowy.

– Dziękuję, panno Rosen – oznajmił i znowu złożył aparaturę. Zakończył powtórny test. – To wszystko.

– Wychodzi pan? – zapytała Rachael.

– Tak – odparł. – Już jestem gotów.

– A co z pozostałymi dziewięcioma badanymi? – zapytała ostrożnie.

– W pani wypadku test okazał się w pełni zadowalający – odpowiedział. – Mogę wyciągnąć wnioski wyłącznie na jego podstawie. W dalszym ciągu jest przydatny. – Potem zwrócił się do Eldona Rosena, który stał przygnębiony, opierając się o framugę drzwi. – Czy ona wie?

Czasami nie wiedziały. Wielokrotnie testowano implantację sztucznej pamięci, najczęściej łudząc się, że dzięki temu zmieni się ich reakcje w czasie testów.

— Nie — odparł Eldon Rosen. — Zaprogramowaliśmy ją całkowicie. Sądzę jednak, że ostatnio zaczęła podejrzewać. — Domyśliłaś się — zwrócił się do dziewczyny — kiedy poprosił o jeszcze jedną próbę?

Blada Rachael sztywno skinęła głową.

— Nie obawiaj się go — powiedział Rosen. — Nie jesteś zbiegłym androidem, który przebywa nielegalnie na Ziemi. Jesteś własnością Korporacji Rosena, wykorzystywaną przez nas w kampanii reklamowej dla emigrantów. — Podszedł do dziewczyny i pocieszająco położył jej dłoń na ramieniu. Czując jego dotyk, dziewczyna drgnęła.

— Ma rację — dodał Rick. — Nie mam zamiaru pani usunąć, panno Rosen. Do widzenia. — Ruszył ku drzwiom, lecz po paru krokach zatrzymał się i zapytał ich: — Czy sowa jest prawdziwa?

Rachael szybko spojrzała na Eldona Rosena.

— I tak wyjeżdża — odparł starszy pan. — To nie ma teraz znaczenia. Ptak jest sztuczny. Nie ma już sów.

— Hmm — mruknął Deckard i sztywno wyszedł na korytarz odprowadzany przez nich wzrokiem. Nie było już nic do dodania. A więc tak działa największy producent androidów, pomyślał. Podstępnie, i to w sposób, z jakim nigdy dotąd nie zetknął się łowca. Niesamowity i zagmatwany, nowy typ osobowości. Nic dziwnego, że instytucje ochrony prawa i porządku mają kłopoty z Nexusami-6.

Nexus-6. Wreszcie się z nim spotkał. Uświadomił sobie, że dziewczyna musi być Nexusem-6. Po raz pierwszy widział jednego z nich. I niemal im się udało. Prawie zdołali podważyć test Voigta-Kampffa, jedyną metodę, którą możemy wykrywać andki. Korporacja Rosena wykonała dobrą robotę. I starała się ze wszystkich sił ochronić swoje wyroby.

A ja muszę stawić czoło jeszcze sześciu takim jak ona, pomyślał. Zanim skończę.

Zgarnie te nagrody. Co do centa.

Zakładając, że przeżyje.

Rozdział VI

Telewizor huczał. Isidore, idąc pokrytymi kurzem schodami budynku na niższe piętro, rozpoznawał już znajomy głos Przyjaznego Bustera, który radośnie mamrotał do swojej olbrzymiej, obejmującej cały układ publiczności.

— ...hej, hej, ludkowie! Zip, klik, zip! Pora na krótką informację o jutrzejszej pogodzie. Najpierw Wschodnie Wybrzeże Stanów Zjednoczonych. Satelita *Mangusta* donosi, że opad pyłu nasili się szczególnie do południa, a potem osłabnie i zaniknie. A więc ludkowie, wszyscy, którzy macie zamiar wyjść, powinniście poczekać do popołudnia, no nie? Skoro zaś mówimy o czekaniu, pozostało tylko dziesięć godzin do mojej wiekopomnej wiadomości, mojego specjalnego wystąpienia! Powiedzcie przyjaciołom, żeby mnie oglądali! Wyjawię coś, co was zadziwi. Może pomyślicie, że to po prostu zwykłe...

Gdy Isidore zastukał do drzwi mieszkania, telewizor natychmiast ucichł. Nie tylko zamilkł — przestał istnieć, śmiertelnie przerażony jego pukaniem.

Za zamkniętymi drzwiami wyczuł życie. Tam było coś poza telewizorem. Jego niepełnosprawne zmysły wytworzyły albo może wyczuły niemy strach udręczonego kogoś, kto cofał się przed nim, kogo próba ucieczki zagoniła pod najdalszą ścianę mieszkania.

— Hej! — zawołał Isidore. — Mieszkam na górze! Usłyszałem pański telewizor! Spotkajmy się, dobrze?! — Czekał, nasłuchując. Żadnego dźwięku, żadnego ruchu. Jego słowa nie wyswobodziły tej osoby. — Przyniosłem kostkę margaryny — powiedział, stojąc tuż przy drzwiach, aby jego głos przeniknął przez nie. — Nazywam się J.R. Isidore i pracuję dla znanego weterynarza pana Hannibala Sloata. Na pewno pan o nim słyszał. Jestem osobą szanowaną, mam pracę. Prowadzę ciężarówkę pana Sloata.

Drzwi otworzyły się lekko i zobaczył skuloną, zniekształconą dziwnym, perspektywicznym skrótem postać dziewczyny, która cofała się, ale mimo wszystko trzymała drzwi, jakby stanowiły dla niej fizyczną podporę. Lęk sprawiał, że wyglądała na chorą. Strach deformował linie jej ciała. Robiła wrażenie, jakby ktoś ją połamał, a potem złośliwie pozszywał na nowo. Wpatrzone w niego olbrzymie oczy zalśniły, gdy usiłowała się uśmiechnąć.

— Myślała pani, że w tym budynku nikt nie mieszka — powiedział, nagle wszystko rozumiejąc. — Myślała pani, że jest opuszczony.

Dziewczyna skinęła głową i szepnęła:

— Tak.

— Ale przecież dobrze jest mieć sąsiadów — zdziwił się Isidore. — O rany, dopóki pani się nie sprowadziła, nie miałem żadnego.

I Bóg świadkiem, to wcale nie było przyjemne.

— Pan mieszka tu sam? — spytała dziewczyna. — W całym budynku? — Sprawiała już wrażenie o wiele mniej zalęknionej. Wyprostowała się i przygładziła ciemne włosy. Dostrzegł teraz, że ma zgrabną, choć drobną figurę i ładne oczy w oprawie długich czarnych rzęs. Najwyraźniej zaskoczona jego wizytą ubrana była tylko w spodnie od piżamy. A kiedy spojrzał nad jej ramieniem, zobaczył, że w pokoju panuje bałagan. Tu i tam leżały porozrzucane walizki, otwarte, z zawartością częściowo wysypującą się na zaśmieconą podłogę. Ale to było zrozumiałe, przecież dopiero się sprowadziła.

— Oprócz pani mieszkam tu tylko ja — odparł Isidore. — I nie będę sprawiał kłopotów. — Było mu smutno. Jego dar, w którym zawierał się autentyczny, przedwojenny rytuał, nie został przyjęty. Na dobrą sprawę dziewczyna robiła wrażenie, jakby wcale nie rozumiała, do czego ta kostka margaryny ma służyć. Sprawiała wrażenie przede wszystkim niezwykle oszołomionej. Jakby wyłoniła się z głębi i unosiła teraz w coraz bardziej zwężających się kręgach strachu. — Dobry stary Buster — powiedział, usiłując rozluźnić spiętą dziewczynę. — Lubi go pani? Oglądam ten program każdego ranka, a potem w nocy, po powrocie do domu. Oglądam przy obiedzie i jeszcze później do chwili, kiedy idę do łóżka. Przynajmniej robiłem tak, dopóki nie zepsuł mi się telewizor.

— Kogo…? — zaczęła dziewczyna i urwała. Przygryzła wargę, jakby poczuła nagle straszną złość. Najwidoczniej na siebie.

— Przyjaznego Bustera — wyjaśnił. Wydało mu się dziwne, że dziewczyna nie słyszała o najpopularniejszym na Ziemi komiku telewizyjnym.

— Skąd pani przyjechała? — spytał zdziwiony.

— To bez znaczenia. — Zerknęła szybko na niego. Dostrzegła w nim coś, co sprawiło, że opuścił ją niepokój i ciało dziewczyny wyraźnie się rozluźniło. — Będę bardzo zadowolona z towarzystwa — oznajmiła — ale później, kiedy bardziej się tu zadomowię. Teraz, oczywiście, to wykluczone.

— Dlaczego wykluczone? — Był zdziwiony, wszystko w niej budziło zdziwienie. Może, pomyślał, zbyt długo byłem sam? To ja stałem się dziwny. Mówią, że kurze móżdżki takie bywają. Ta myśl wprawiła go w jeszcze gorszy nastrój. — Mógłbym pomóc pani rozpakować walizki — zaproponował. Niemal zamknęła mu drzwi przed nosem. — I umeblować się.

— Nie mam nowych mebli — odpowiedziała dziewczyna. — Wystarczy mi to — wskazała pokój za plecami — co jest tutaj.

— Te rzeczy się nie nadają — wyjaśnił. Widział to na pierwszy rzut oka. Krzesła, dywan, stoły — wszystko było spróchniałe, zapadło się we wspólną ruinę, ofiarę despotycznych sił czasu. I opuszczenia. Od lat nikt tu nie mieszkał i zniszczenie stało się niemal zupełne. Nie mógł sobie wyobrazić, jak ta dziewczyna zamierza żyć w tym otoczeniu. — Proszę posłuchać — powiedział z przejęciem. — Jeżeli przejdziemy się po budynku, na pewno znajdziemy dla pani rzeczy, które nie są aż tak zniszczone. Lampę w jednym mieszkaniu, stół w innym.

— Poszukam sama — rzekła dziewczyna. — Dziękuję.

— Chce pani iść do tych mieszkań s a m a? — Nie mógł w to uwierzyć.

— Dlaczego nie? — Znowu zadygotała nerwowo, uświadamiając sobie, że ponownie powiedziała coś nie tak.

— Ja już próbowałem — stwierdził Isidore. — Raz. Od tej pory, kiedy wracam do domu, idę prosto do swojego mieszkania i nie myślę o niczym innym. Te pokoje, w których nikt nie mieszka — setki pokojów, a każdy pełen rodzinnych fotografii, ubrań i rzeczy, które należały do jakichś ludzi... Ci, którzy umarli, nie mogli nic wziąć, a ci którzy wyemigrowali, nie chcieli. Ten budynek, poza moim mieszkaniem, jest całkowicie schłamiony.

— Schłamiony? — Nie rozumiała.

— Chłam to bezużyteczne przedmioty, takie jak reklamy przysyłane dawniej pocztą albo okładki po zużytych papierowych zapałkach, albo opakowanie po wczoraj przeżutej gumie. Kiedy nikogo nie ma w pobliżu, chłam się rozmnaża. Na przykład jeśli pójdzie pani spać, pozostawiając go w mieszkaniu, to kiedy obudzi się pani następnego ranka, chłamu będzie już dwa razy tyle. Ciągle go przybywa.

— Rozumiem. — Dziewczyna patrzyła na niego niepewnie, nie wiedząc, czy mu wierzyć. Nie była pewna, czy mówił to poważnie.

— Oto pierwsze prawo chłamu — oznajmił — „Chłam wypiera niechłam". Brzmi to podobnie jak prawo Greshama o pieniądzu. A w tych mieszkaniach nie było nikogo, kto by walczył z chłamem.

— I dlatego opanował je całkowicie — dopowiedziała za niego dziewczyna. Skinęła głową. — Teraz rozumiem.

— Pani mieszkanie — powiedział — jest zbyt schłamione, aby w nim żyć. Możemy zmniejszyć stopień schłamienia. Jak już powiedziałem, moglibyśmy poszukać w innych mieszkaniach. Ale... — urwał.

— Co?

— Nie możemy wygrać — odparł Isidore.

— Dlaczego? — Dziewczyna wyszła na korytarz, zamykając za sobą drzwi. Stała z ramionami założonymi na piersiach i patrzyła na niego, próbując go zrozumieć. Albo tak mu się wydawało. W każdym razie go słuchała.

— Nikt nie wygra z chłamem — wyjaśnił. — Chyba że chwilowo, w jednym miejscu, takim jak moje mieszkanie. Udało mi się na jakiś czas doprowadzić do równowagi między napierającym chłamem i niechłamem. Ale jeżeli kiedyś umrę albo się wyprowadzę, chłam znowu wszystko ogarnie. To zasada powszechna, obowiązująca w całym wszechświecie. Cały wszechświat zmierza ku ostatecznemu, absolutnemu schłamieniu. Poza, oczywiście, wspinaczką Wilbura Mercera — dodał.

Dziewczyna spojrzała na niego.

— Nie widzę żadnego związku — powiedziała.

— Do tego sprowadza się cały merceryzm. — Znowu poczuł, że ogarnia go zdziwienie. — Nie uczestniczy pani w zespoleniu? Nie ma pani skrzynki empatycznej?

Po chwili dziewczyna odparła ostrożnie:

— Nie wzięłam jej ze sobą. Myślałam, że znajdę tu jakąś.

— Ale przecież skrzynka empatyczna — wyjąkał podniecony — jest czymś najbardziej osobistym! To przedłużenie ciała, sposób, w jaki człowiek styka się z innymi, przestaje być sam. Ale pani to wie. Wszyscy to wiedzą. Mercer pozwala nawet takim jak ja… — Raptem umilkł. Ale było już za późno, już to powiedział i po wyrazie jej twarzy, odruchu nagłej odrazy, zorientował się, że dziewczyna wie. — Niemal zdałem test na inteligencję — powiedział cichym, drżącym głosem. — Nie jestem bardzo specjalny, tylko umiarkowanie. Nie tak jak niektórzy. Ale właśnie Mercera to wcale nie interesuje.

— Jeśli o mnie chodzi, może pan to uznać za podstawowe zastrzeżenie, jakie mam do merceryzmu — stwierdziła dziewczyna. Głos miała czysty, obojętny. Uświadomił sobie, że chciała w ten sposób jedynie stwierdzić fakt. Swój stosunek do kurzych móżdżków.

— Chyba wrócę na górę — powiedział i zaczął się cofać, ściskając kostkę margaryny. Czuł, jak w jego dłoni robi się miękka i wilgotna.

Dziewczyna wciąż obserwowała go z obojętnym wyrazem twarzy. Aż nagle zawołała:

— Poczekaj!

— Dlaczego? — zapytał, odwracając się.

— Jesteś mi potrzebny. Musisz mi pomóc zdobyć meble. Z innych mieszkań, tak jak powiedziałeś. — Podeszła do niego. Jej nagi tors był smukły i zgrabny, bez zbędnego grama tłuszczu. — O której wracasz z pracy do domu? Mógłbyś mi wtedy pomóc.

— Czy mogłaby pani ugotować dla nas obiad? — zapytał Isidore. — Gdybym przyniósł do domu produkty?

— Nie. Mam za dużo do zrobienia. — Dziewczyna lekko odrzuciła jego prośbę i Isidore pogodził się z tym, nie rozumiejąc. Teraz, kiedy opuścił ją strach, zaczęło się w niej pojawiać coś innego. Coś dziwniejszego. I żałosnego. Chłód. Zupełnie jak powiew z próżni między nie zamieszkanymi światami, pomyślał, na dobrą sprawę znikąd. Nie było to coś, co powiedziała albo zrobiła, ale to czego nie zrobiła i nie powiedziała. — Innym razem — rzuciła i obróciła się do drzwi mieszkania.

— Zapamiętała pani moje nazwisko? — zapytał skwapliwie. — Nazywam się John Isidore i pracuję u…

— Mówiłeś mi, u kogo pracujesz. — Otwierając drzwi, powiedziała: — U jakiejś nieprawdopodobnej osoby, która nazywa się Hannibal Sloat. Jestem pewna, że istnieje on jedynie w twojej wyobraźni. Nazywam się… — Wchodząc do mieszkania, obrzuciła go ostatnim, chłodnym spojrzeniem, zawahała się i powiedziała: — Jestem Rachael Rosen.

— Z Korporacji Rosena? — zapytał. — Największego w całym systemie producenta humanoidalnych robotów wykorzystywanych w naszym programie kolonizacyjnym?

Na jej twarzy natychmiast pojawił się trudny do określenia wyraz, przemknął w ułamku sekundy i równie szybko zniknął.

— Nie — odpowiedziała. — Nigdy o nich nie słyszałam. Nic o nich nie wiem. Jak sądzę, to kolejny z twoich wymysłów. John Isidore i jego osobista prywatna skrzynka empatyczna. Biedny Isidore...

— Ale pani nazwisko wskazuje...

— Moje nazwisko — odparła dziewczyna — brzmi Pris Stratton. To moje nazwisko po mężu. Zawsze go używam. Nigdy nie posługuję się innym imieniem, tylko Pris. Możesz zwracać się do mnie Pris. — Zastanowiwszy się, dodała: — Nie, lepiej zwracaj się do mnie per panno Stratton. Bo na dobrą sprawę zupełnie się nie znamy. W każdym razie ja ciebie nie znam. — Zatrzasnęły się za nią drzwi i Isidore został sam na zakurzonym, mrocznym korytarzu.

Rozdział VII

No cóż, tak to jest, pomyślał J. Isidore, stojąc z zaciśniętą w dłoni miękką kostką margaryny. Może kiedyś jednak pozwoli nazywać się Pris. A jeśli uda mi się znaleźć puszkę przedwojennych warzyw, może zmieni zdanie na temat obiadu.

A jeżeli ona nie umie gotować? — pomyślał nagle. Dobrze, w takim razie ja go zrobię, przygotuję obiad dla nas obojga. I pokażę jej, jak to robić, gdyby w przyszłości jednak nabrała ochoty. Pewnie zechce, kiedy już jej pokażę. Jeśli dobrze się orientował, większość kobiet, nawet tak młodych jak ona, lubiła gotować. To był jakiś instynkt.

Zszedł po ciemnych schodach i wrócił do swojego mieszkania.

Ona naprawdę nie ma kontaktu z rzeczywistością, pomyślał, wkładając biały kombinezon roboczy. Nawet jeżeli się teraz pośpieszy, już i tak spóźnił się do pracy i Sloat będzie zły, ale co z tego? Na przykład nigdy nie słyszała o Przyjaznym Busterze.

A to przecież niemożliwe — Buster był najważniejszy ze wszystkich żyjących osób, oczywiście poza Wilburem Mercerem... Ale Mercer, uznał po namyśle, nie jest istotą ludzką, najwyraźniej stanowi archetyp osobowości z gwiazd narzucony naszej kulturze przez jakiś kosmiczny wzorzec. W każdym razie słyszałem, że ludzie tak mówili — na przykład pan Sloat. A Hannibal Sloat powinien przecież wiedzieć.

Dziwne, że jest taka niekonsekwentna, kiedy mówi o swoim nazwisku, myślał. Może potrzebuje pomocy. Czy ja potrafię jej w czymś pomóc? Specjal, kurzy móżdżek, czy ja coś rozumiem? Nie mogę się ożenić, nie mogę wyemigrować i pył w końcu mnie zabije. Nie mam nic do zaoferowania.

Ubrał się, wyszedł z mieszkania i powędrował schodami do góry na dach, gdzie stał zaparkowany jego zdezelowany stary hover.

Godzinę później, prowadząc już ciężarówkę przedsiębiorstwa, odebrał pierwsze w tym dniu szwankujące zwierzę. Elektrycznego kota. Leżał z tyłu w plastykowej pyłoszczelnej klatce transportowej i dyszał nierówno. Można by pomyśleć, że jest prawdziwy, myślał Isidore, wracając do Szpitala Zwierząt Van Nessa — niewielkiego zakładu o starannie wybranej, celowo mylącej nazwie, który ledwie wiązał koniec z końcem w warunkach bezwzględnej konkurencji panującej w świecie usług remontowych pseudodozwierząt.

Cierpiący kot miauknął.

Ojej, powiedział do siebie Isidore. Miauczy, jakby naprawdę zdychał. Może jego obliczony na dziesięć lat akumulator ma zwarcie i wszystkie obwody przepalają się jeden po drugim. Poważna awaria. Milt Borogrove, technik Szpitala Zwierząt Van

Nessa, będzie miał pełne ręce roboty. A ja nie podałem właścicielowi kosztorysu, pomyślał ponuro Isidore. Facet po prostu rzucił mi kota, mówiąc, że w nocy zaczął nawalać, a potem, jak sądzę, wystartował do pracy. W każdym razie jakakolwiek wymiana słów nagle się urwała — właściciel kota wzbił się z rykiem w niebo swoim nowiutkim, robionym na zamówienie hoverem. A był to zupełnie nowy klient.

Isidore powiedział do kota:

— Wytrzymasz do warsztatu? — Kot w dalszym ciągu pomiaukiwał cicho. — Po drodze doładuję ci akumulator — postanowił Isidore.

Skierował ciężarówkę w stronę najbliższego wolnego dachu i zaparkował na nim, nie wyłączając silnika. Wczołgał się na tył ciężarówki i otworzył plastykową pyłoodporną klatkę transportową. Widok jego białego ubrania i napisu na ciężarówce dawał pełne złudzenie, że to prawdziwy weterynarz udziela pomocy prawdziwemu zwierzęciu.

Elektryczny mechanizm umieszczony pod futrem, sprawiającym wrażenie całkowicie autentycznego, bulgotał i puszczał bąble. Kot miał szkliste soczewki wizyjne i zaciśnięte kurczowo metalowe szczęki. Wmontowane w pseudozwierzęta obwody „chorobowe" nie przestawały zadziwiać Isidore'a. Mechanizm, który obecnie trzymał na kolanach, został tak zaprojektowany, że kiedy dochodziło do uszkodzenia jakiegoś podstawowego elementu, pseudozwierzę sprawiało wrażenie nie uszkodzonego, ale chorego. Mógłby mnie oszukać, powiedział do siebie Isidore, macając sztuczny brzuch w poszukiwaniu płytki kontrolnej (bardzo małej w tym modelu) oraz gniazda szybkiego ładowania. Nie mógł ich znaleźć. Nie mógł również zbyt długo szukać, bo mechanizm niemal przestał funkcjonować. Jeżeli nastąpiło krótkie spięcie, pomyślał, to może powinienem odłączyć jeden z przewodów prowadzących od akumulatora. Wtedy mechanizm się wyłączy, ale uszkodzenie nie będzie się powiększało. A potem w warsztacie znów go Milt naładuje. Zręcznie przesunął palcami po pseudokościstym grzbiecie. Przewody powinny być właśnie tutaj. Cholernie dobra robota, absolutnie idealna imitacja. Kabli nie dawało się wyczuć przy najdokładniejszym badaniu. To musi być robota Wheelrighta i Carpentera — ich projekty były kosztowne, ale natychmiast rozpoznawało się doskonałą jakość.

Poddał się. Fałszywy kot przestał działać. Najwidoczniej spięcie, jeżeli właśnie spowodowało uszkodzenie, zniszczyło zasilanie i podstawowe serwomechanizmy. Naprawa będzie kosztować mnóstwo pieniędzy, pomyślał pesymistycznie. No cóż, pewnie zwierzakowi nie robiono profilaktycznego czyszczenia i smarowania trzy razy do roku. Na tym wszystko polega. Właściciel będzie miał nauczkę — i to bolesną.

Wrócił na fotel kierowcy, ustawił stery na wznoszenie, wzbił się znowu w powietrze i podjął lot w stronę warsztatu naprawczego.

W każdym razie nie musiał już słuchać szarpiącego nerwy miauczenia produktu, mógł się rozluźnić. Ciekawe, pomyślał, chociaż wiem, że to pseudopomiaukiwania wydawane przez pseudozwierzę, w którym przepalają się serwomechanizmy i zasilanie, to jednak mam od tego skurcze żołądka. Chciałbym, pomyślał z bólem, znaleźć jakąś inną pracę. Gdybym nie oblał testu na inteligencję, nie musiałbym wykonywać tych paskudnych obowiązków i znosić towarzyszących im bolesnych emocji. Z drugiej strony te syntetyczne cierpienia pseudozwierząt zupełnie nie przeszkadzały Miltowi Borogrove'owi ani Hannibalowi

Sloatowi. Może więc wszystko to tkwi we mnie, pomyślał John Isidore. Może gdy jak ja spadasz po szczeblach drabiny ewolucji, kiedy toniesz w świecie grobów, to jesteś specjalem... Lepiej dać sobie spokój z takimi rozważaniami. Najbardziej go przygnębiało, gdy porównywał swoje obecne możliwości umysłowe z tymi, które miał poprzednio. Jego inteligencja i siły witalne codziennie ulegały degradacji. On i tysiące innych specjali na całej Ziemi podążali w stronę stosu popiołów. Zamieniali się w żywy chłam.

Spragniony towarzystwa włączył radio i nastawił je na słuchowisko Przyjaznego Bustera, które podobnie jak wersja telewizyjna trwało pełne dwadzieścia trzy gorące godziny na dobę... Podczas pozostałej godziny emitowano religijny sygnał zakończenia programu, dziesięć minut ciszy i znowu religijny sygnał rozpoczęcia programu.

— ...cieszę się, że znowu jesteś w naszej audycji — mówił właśnie Przyjazny Buster. — Poczekaj, Amando, odkąd cię ostatnio odwiedziliśmy, minęły całe dwa dni. Zaczęłaś już kręcić jakiś nowy film?

— Cósz, mialam fczoraj pójźć ma sdjęcia, ale chcieli, szebym saczela o siódmej...

— O siódmej rano? — wtrącił Przyjazny Buster.

— Tak, masz rasję, Buuster, to miała być szósta, cha, cha! — Amanda Werner zaniosła się swoim słynnym śmiechem, naśladowanym równie często jak śmiech Bustera. Amanda Werner i kilka innych pięknych, eleganckich, o stromych piersiach zagranicznych dam z nieokreślonych, niezbyt znanych krajów, a także kilku sielankowych tak zwanych humorystów stanowiło jądro wszystkich powtórek Bustera. Kobiety takie jak Amanda Werner nigdy nie grały w filmach, nigdy nie występowały w sztukach. Prowadziły dziwaczne, przepiękne życie gości nie kończących się występów Bustera, pojawiając się w nich, jak kiedyś obliczył Isidore, co najmniej przez siedemdziesiąt godzin w tygodniu. Jak Busterowi udawało się znaleźć czas na nagranie obu występów, radiowego i telewizyjnego? — zastanawiał się Isidore. A jak Amanda Werner znajdowała czas na to, żeby być jego gościem co drugi dzień, miesiąc po miesiącu, rok po roku? Jak im się udawało tak prowadzić rozmowę? Nigdy się nie powtarzali — przynajmniej on tego nie zauważył. Ich uwagi zawsze były świeże, dowcipne, zaimprowizowane i spontaniczne. Włosy Amandy lśniły, oczy błyszczały, zęby połyskiwały. Nigdy nie była zmęczona, nigdy nie traciła okazji, aby błyskotliwie odpowiedzieć na nieprzerwany strumień dowcipów, zjadliwych uwag i dykteryjek Bustera. Show Przyjaznego Bustera, za pośrednictwem satelitów telekomunikacyjnych transmitowany przez radio i telewizję na całą Ziemię, docierał również do emigrantów na skolonizowanych planetach. Podejmowano próby nadawania programów aż do Proximy na wypadek, gdyby kolonizacja ludzka sięgnęła aż tak daleko. Kiedy *Salander 3* dotrze do celu, podróżujący nim ludzie spotkają tam już oczekującego na nich Przyjaznego Bustera. I na pewno się ucieszą.

Jednak jedna, konkretna rzecz w Przyjaznym Busterze drażniła Johna Isidore'a. Subtelnie, niemal niedostrzegalnie Buster wyśmiewał skrzynki empatyczne. I to wielokrotnie. W gruncie rzeczy robił to również teraz.

— ...żaden kamień mnie nie trafia — trajkotał Buster do Amandy Werner. — A jeżeli przejdę na drugą stronę góry, chcę, żeby czekało tam na mnie parę butelek budweisera! — Publiczność w studiu roześmiała się i Isidore usłyszał lekkie oklaski. — I stamtąd wygłoszę starannie udokumentowane wystąpienie, wystąpienie, które usłyszycie dokładnie za dziesięć godzin!

— I ja tesz, kochanie! — powiedziała na wydechu Amanda. —
Weś mnie se sobą! Pójtę i kiedy pętą szucać w ciepie kamieniami,
osłonię cię. — Publiczność znowu ryknęła śmiechem, a John
Isidore poczuł, że ogarnia go zmieszanie i bezsilna wściekłość
sączące się przez skórę na karku. Dlaczego Przyjazny Buster
wciąż kpi z merceryzmu? Nikomu innemu zdawał się nie przeszkadzać, ONZ nawet chyba go pochwalała. Amerykańska i sowiecka policja oświadczyły publicznie, że merceryzm zmniejszył
przestępczość, powodując większe zainteresowanie obywateli
problemami sąsiadów. Sekretarz generalny Organizacji Narodów Zjednoczonych Titus Corning kilkakrotnie stwierdził, że
ludzkość potrzebuje więcej empatii. Może Buster jest zazdrosny,
doszedł do wniosku Isidore. Jasne, to mogłoby wszystko wyjaśnić — on i Wilbur Mercer współzawodniczą ze sobą. Ale o co?

O rząd dusz, uznał Isidore. Walczą o władzę nad naszą psychi-
ką. Z jednej strony skrzynka empatyczna, z drugiej żarty i kpiny
Bustera. Muszę powiedzieć to Hannibalowi Sloatowi, postanowił. Zapytać go, czy to prawda. On na pewno będzie wiedział.

Zaparkował ciężarówkę na dachu Szpitala Zwierząt Van Nessa
i szybko zaniósł plastykową klatkę z nieruchomym pseudokotem
na dół, do biura pracodawcy. Kiedy wszedł, pan Sloat podniósł
wzrok znad kartek inwentarza części. Jego szara pomarszczona
twarz drgała jak zmącona woda. Hannibal Sloat był zbyt stary,
aby wyemigrować, i choć nie sklasyfikowano go jako specjala,
musiał spędzić resztę życia na Ziemi. Przez minione lata pył
przeżerał go, zabarwił mu szarością rysy twarzy, wyszarzały mu
od niego myśli. Pod jego wpływem Sloat skurczył się, wychudły
mu nogi i poruszał się niepewnie. Oglądał świat przez okulary

dosłownie pokryte skorupą pyłu. Z jakiegoś powodu Sloat nigdy nie czyścił szkieł. Wyglądało to, jakby się poddał, pogodził z radioaktywnym opadem, który dawno temu zaczął grzebać go pod sobą. Teraz zaćmił mu już wzrok. W ciągu kilku lat, które jeszcze mu pozostały, zniszczy inne zmysły. Pozostanie tylko wysoki, ćwierkający głos, aż w końcu zaniknie i on.

— Co tam masz? — spytał pan Sloat.

— Kota ze zwarciem w zasilaniu. — Isidore postawił klatkę na zasłanym papierami biurku szefa.

— Po co mi go pokazujesz? — zdziwił się Sloat. — Zanieś go na dół, do warsztatu Milta. — Jednak po chwili namysłu otworzył klatkę i wyciągnął pseudozwierzę. Kiedyś sam był technikiem remontowym. I to bardzo dobrym.

— Myślę, że Przyjazny Buster i merceryzm walczą o władzę nad naszymi duszami.

— Jeżeli to prawda — odparł Sloat, badając kota — to Buster wygrywa.

— Obecnie wygrywa — rzekł Isidore — ale w końcu przegra.

Sloat podniósł głowę i spojrzał na niego.

— Dlaczego?

— Bo Wilbur Mercer wciąż się odnawia. Jest nieśmiertelny. Na szczycie wzgórza zostaje powalony, zapada się do świata grobów, ale potem zawsze się podnosi. A my z nim. Tak więc my również jesteśmy nieśmiertelni. — Czuł się wspaniale, mówiąc tak płynnie. Zazwyczaj w obecności pana Sloata jąkał się.

— Buster też jest nieśmiertelny, podobnie jak Mercer — odparł Sloat. — Nie ma żadnej różnicy.

— Jak to możliwe? Jest przecież człowiekiem.

— Nie wiem — powiedział Sloat. — Ale to prawda. Choć oczywiście nigdy tego nie potwierdzą.

— To dlatego Przyjazny Buster może robić czterdziestoośmio-godzinny show w ciągu jednego dnia?

— Właśnie — przytaknął Sloat.

— A co z Amandą Werner i innymi kobietami?

— Również są nieśmiertelne.

— Czy są wyższą formą życia z innego układu?

— Nigdy nie udało mi się ustalić tego z całą pewnością — powiedział pan Sloat, wciąż badając kota. Zdjął pokryte pyłem okulary i bez ich pomocy zaglądał do na wpół otwartego pyszczka. — Tak jak z całą pewnością zrobiłem to w wypadku Wilbura Mercera — zakończył niemal niesłyszalnym głosem. Potem zaklął. Była to wiązanka przekleństw, która w odczuciu Isidore'a trwała pełną minutę. — Ten kot nie jest sztuczny — oznajmił w końcu Sloat. — Wiedziałem, że coś takiego kiedyś się zdarzy. I już nie żyje. — Popatrzył na kocie zwłoki. I znowu zaklął.

W drzwiach gabinetu stanął krępy, dziobaty Milt Borogrove ubrany w brudny niebieski fartuch z płótna żaglowego.

— Co się stało? — zapytał. Widząc leżącego kota, wszedł do gabinetu i podniósł zwierzę.

— Kurzy móżdżek go przyniósł — powiedział Sloat. Nigdy dotąd nie używał tego określenia przy Isidorze.

— Gdyby żył — stwierdził Milt — moglibyśmy go zanieść do weterynarza prawdziwych zwierząt. Ciekawe, ile jest wart. Czy ktoś ma egzemplarz Sidneya?

— Cz-cz-y p-p-pańskie ubezpieczenie n-n-ie o-o-obejmuje t-t-ego? — zapytał Isidore pana Sloata. Czuł, że dygoczą mu nogi i miał wrażenie, że cały pokój robi się ciemnobrązowy, a na tym tle migoczą zielone plamki.

— Obejmuje — niemal warknął wreszcie Sloat. — Ale boli mnie

sama strata. Strata kolejnej żywej istoty. Nie mogłeś się zorientować, Isidore? Nie zauważyłeś różnicy?

— P-pomyślałem — wykrztusił wreszcie Isidore — że to bardzo dobre wykonanie. Takie dobre, że wprowadziło mnie w błąd. Chodzi o to, że robi wrażenie żywego i przy takim dobrym wykonaniu...

— Nie sądzę, żeby Isidore mógł zauważyć różnicę — wtrącił łagodnie Milt. — Dla niego wszystkie są żywe, nawet pseudozwierzęta. Pewnie próbował go ocalić. Co z nim robiłeś? — zwrócił się do Isidore'a. — Próbowałeś doładować mu akumulator? Albo zlokalizować spięcie?

— T-t-tak — przyznał Isidore.

— Najprawdopodobniej stan był już tak ciężki, że nic by mu nie pomogło — stwierdził Milt. — Daj mu spokój, Han. W jednym ma rację — imitacje zaczynają być cholernie podobne do prawdziwych, zwłaszcza z montowanymi w nowych modelach obwodami chorobowymi. A poza tym żywe zwierzęta umierają, na tym polega ryzyko związane z ich posiadaniem. Nie jesteśmy do tego przyzwyczajeni, bo widzimy tylko imitacje.

— Przeklęta strata — powtórzył Sloat.

— Zgodnie z M-m-mercerem ż-ż-życie zawsze powraca — zauważył Isidore. — Dla z-z-zwierząt cykl również się z-z-zamyka. Chodzi mi o to, że wszyscy wspinamy się wraz z nim, umieramy...

— Powiedz to facetowi, do którego należał kot — odparł pan Sloat.

Isidore niepewny, czy szef nie żartuje, zapytał:

— Chce pan, żebym to zrobił? Ale to pan zawsze prowadzi wideorozmowy. — Bał się wideofonów i przekonał się, że rozmowa, zwłaszcza z kimś obcym, to dla niego absolutnie niewykonalne zadanie. Pan Sloat oczywiście o tym wiedział.

— Nie zmuszaj go — poprosił Milt. — Ja to zrobię. — Sięgnął po słuchawkę. — Jaki to numer?

— Mam go gdzieś tutaj. — Isidore zaczął grzebać w kieszeniach roboczego kitla.

— Chcę, żeby kurzy móżdżek to załatwił — powtórzył Sloat.

— N-n-nie mogę rozmawiać przez wideofon — zaprotestował Isidore, czując, jak łomocze mu serce. — Dlatego, że jestem kudłaty, brzydki, zgarbiony, szczerbaty i siwy. Choruję na chorobę radiacyjną. Myślę, że niedługo umrę.

Milt uśmiechnął się i zwrócił do Sloata.

— Przypuszczam, że gdybym się czuł tak jak on, również nie mógłbym korzystać z wideofonu. No, Isidore, jeżeli nie dasz mi numeru właściciela kota, nie będę mógł zadzwonić i sam będziesz musiał to zrobić. — Przyjaźnie wyciągnął rękę po numer.

— Zadzwoni kurzy móżdżek — powiedział zdecydowanym głosem Sloat — albo wylatuje z pracy. — Nie patrzył ani na Isidore'a, ani na Milta, spoglądał nieruchomym wzrokiem prosto przed siebie.

— Dajże spokój — zaprotestował Milt.

— N-n-nie lubię, jak się m-m-mnie n-n-nazywa ku-u-rzym móżdżkiem — zaprotestował Isidore. — P-p-przecież p-p-pył również p-p-anu bardzo zaszkodził. Choć w p-p-przeciwieństwie nie uszkodził p-p-panu mózgu. — Jestem zwolniony, uświadomił sobie. Nie mogę rozmawiać przez wideofon. A potem przypomniał sobie nagle, że właściciel kota poleciał do pracy. Nie będzie nikogo w domu. — Ch-chyba mogę do niego zadzwonić — powiedział, znalazłszy wreszcie kwitek z danymi klienta.

— Widzisz? — zwrócił się pan Sloat do Milta. — Może to zrobić, jeżeli musi.

Isidore usiadł przy wideofonie, wziął do ręki słuchawkę i wybrał numer.

— Tak — stwierdził Milt — ale nie powinien być do tego zmuszany. I ma rację. Pył rzeczywiście ci zaszkodził. Jesteś niemal ślepy i za parę lat nie będziesz słyszał.

— Ciebie też dopadło, Borogrove. Skórę masz koloru psiego łajna.

Na wideoekranie pojawiła się twarz zadbanej kobiety w typie środkowoeuropejskim, o włosach zaczesanych w twardy kok.

— Tak? — spytała.

— P-p-pani Pilsen? — spytał Isidore, czując, jak narasta w nim przerażenie. Rzecz jasna nie pomyślał o tym, że właściciel kota może mieć żonę, która oczywiście będzie w domu. — Chciałbym p-p-porozmawiać z panią o państwa k-k-k-k-k... — Przerwał, pocierając nerwowo podbródek. — O państwa kocie.

— Ach tak, to pan zabierał Horacego — stwierdziła pani Pilsen. — Czy ma zapalenie płuc? Mąż podejrzewał właśnie to.

— Kot państwa umarł — oznajmił Isidore.

— Och nie, dobry Boże...

— Damy państwu drugiego — powiedział. — Jesteśmy ubezpieczeni. — Zerknął na pana Sloata, wyglądało na to, że się zgadza. — Właściciel naszej firmy, pan Hannibal Sloat... — Zaciął się. — Osobiście...

— Nie — rzucił Sloat. — Damy im czek. Cena według katalogu Sidneya.

— ...osobiście wybierze dla państwa zastępczego kota — usłyszał swój głos Isidore. Zaczął rozmowę, której nie potrafił przeprowadzić, a teraz zorientował się, że nie może jej zakończyć. To, co mówił, rozwijało się według jakiejś swojej wewnętrznej logiki, której nie mógł powstrzymać, i wszystko musiało się toczyć do własnego zakończenia. Pan Sloat i Milt Borogrove patrzyli na niego w osłupieniu, on zaś mówił dalej: — Proszę określić, jakiego kota państwo sobie życzycie. Maść, płeć, rasa: manx, pers, abisyńczyk...

— Horacy nie żyje — powiedziała pani Pilsen.

— Miał zapalenie płuc — stwierdził Isidore. — Zmarł w czasie przejazdu do szpitala. Nasz starszy lekarz doktor Hannibal Sloat wyraził przekonanie, że stan, w jakim się znajdował, wykluczał możliwość ratunku. Ale czy to, że możemy dać państwu zastępstwo, pani Pilsen, nie jest szczęśliwą okolicznością? Czy nie mam racji?

— Był tylko jeden taki kot jak Horacy — powiedziała pani Pilsen ze łzami w oczach. — Kiedy był jeszcze kociakiem, często przychodził i patrzył tak, jakby chciał zadać jakieś pytanie. Nigdy się nie dowiedzieliśmy, co to za pytanie. Może teraz zna już na nie odpowiedź. — Znowu zaczęła płakać. — Myślę, że kiedyś wszyscy je poznamy.

Nagle Isidore poczuł przypływ natchnienia.

— A co by pani powiedziała na idealną elektryczną kopię państwa kota? Możemy zdobyć wspaniały produkt Wheelrighta i Carpentera, który w każdym szczególe będzie wiernie odtwarzał dawne zwierzę w nie zmienionej...

— Och, to obrzydliwe! — zaprotestowała pani Pilsen. — O czym pan mówi? Proszę broń Boże nie proponować tego mojemu mężowi. Niech pan nawet o tym nie wspomina, bo on się wścieknie. Kochał Horacego bardziej niż jakiegokolwiek kota, którego mieliśmy do tej pory, a miał koty od dziecka.

Milt odebrał Isidore'owi słuchawkę i odezwał się do kobiety:

— Możemy dać pani czek w wysokości wynikającej z wyceny Sidneya albo, jak sugerował pan Isidore, wybrać dla państwa innego kota. Bardzo nam przykro, że kot państwa umarł, ale jak już wspomniał pan Isidore, zwierzę miało zapalenie płuc, które najczęściej okazuje się śmiertelne. — Mówił z profesjonalną płynnością. Spośród trzech osób pracujących w Szpitalu Zwierząt Van Nessa Milt najlepiej załatwiał służbowe rozmowy telefoniczne.

— Nie mogę powiedzieć o tym mężowi — stwierdziła pani Pilsen.

— W porządku, proszę pani — rzekł Milt i skrzywił się lekko. — Zadzwonimy do niego. Czy mogłaby nam pani podać numer jego telefonu w pracy? — Próbował namacać papier i ołówek, który podsunął mu pan Sloat.

— Proszę posłuchać — powiedziała pani Pilsen, która chyba wreszcie zdołała się pozbierać. — Może ten drugi pan miał rację. Może powinnam zamówić elektryczny zamiennik Horacego, ale tak, żeby Ed nic nie wiedział. Czy może to być tak wierna kopia, że mój mąż nie zauważy różnicy?

— Jeżeli pani sobie tego życzy — z powątpiewaniem w głosie odparł Milt. — Ale z doświadczenia wiemy, że właściciela zwierzęcia nigdy nie da się oszukać. Jedynie przypadkowych obserwatorów, takich jak sąsiedzi. Widzi pani, kiedy podejdzie się rzeczywiście blisko do pseudozwierzęcia...

— Ed nigdy nie zbliża się do Horacego, mimo że go kocha. To ja zajmuję się jego potrzebami, takimi jak kuweta z piaskiem. Sądzę, że mogłabym spróbować z pseudozwierzęciem, a jeżeli się nie uda, znajdziecie nam panowie prawdziwego, który zastąpiłby Horacego. Nie chcę tylko, żeby mąż wiedział. Myślę, że tego by nie przeżył. Dlatego nigdy nie zbliżał się do Horacego, obawiał się. A kiedy Horacy zachorował — jak pan powiedział na zapalenie płuc — Ed wpadł w panikę i nie umiał stawić temu czoła. Dlatego tak długo czekaliśmy, zanim was wezwaliśmy.

Zbyt długo... Wiedziałam, zanim panowie zadzwoniliście. – Skinęła głową. Zdołała już opanować łzy. – Ile czasu to zajmie? Milt zastanowił się.

– Możemy przygotować kopię w ciągu dziesięciu dni. Dostarczymy w dzień, gdy pani mąż będzie w pracy. – Zakończył rozmowę, pożegnał się i odłożył słuchawkę. – Zorientuje się – powiedział do pana Sloata. – W pięć sekund. Ale ona tego chce.

– Ludzie kochający swoje zwierzęta – rzekł posępnie pan Sloat – w takich sytuacjach zupełnie się załamują. Jestem zadowolony, że zazwyczaj nie mamy do czynienia z prawdziwymi zwierzętami. Zdajecie sobie sprawę, że weterynarze prawdziwych zwierząt ciągle muszą prowadzić takie rozmowy? – Popatrzył uważnie na Johna. – Na swój sposób wcale nie jesteś taki głupi, Isidore. Załatwiłeś to zupełnie dobrze. Mimo że Milt musiał w pewnej chwili przejąć sprawę.

– Doskonale dawał sobie radę – stwierdził Milt. – Boże, ależ to było trudne. – Podniósł martwego Horacego. – Wezmę go na dół, do warsztatu. Han, zadzwoń do Wheelrighta i Carpentera i wezwij ich konstruktorów, żeby to zmierzyli i sfotografowali. Nie pozwolę im zabrać ciała do warsztatów. Chcę sam porównać kopię.

– Myślę, że powinien porozmawiać z nimi Isidore – postanowił pan Sloat. – Wszystko zaczął i po tym, jak poradził sobie z panią Pilsen, chyba da sobie radę z Wheelrightem i Carpenterem.

– Po prostu nie pozwól im zabrać Horacego – rzekł Milt. – Będą chcieli tak zrobić, bo to cholernie ułatwi im pracę. Bądź stanowczy.

– Aha – odparł Isidore, mrugając. – Dobra. Może powinienem zadzwonić do nich od razu, nim zacznie się rozkładać – wzbierało w nim uniesienie.

Rozdział VIII

Łowca Rick Deckard zaparkował podrasowanego policyjnego hovera na dachu Pałacu Sprawiedliwości w San Francisco przy Lombard Street i z walizeczką w ręku zszedł do biura Harry'ego Bryanta.

— Strasznie szybko wróciłeś — oznajmił jego przełożony, odchylając się w fotelu, i wziął szczyptę tabaki Specific No 1.

— Mam to, po co mnie pan wysłał. — Rick usiadł przed biurkiem. Postawił walizeczkę na podłodze. Jestem zmęczony, zdał sobie sprawę. Teraz, kiedy wrócił, ta myśl zaczęła opanowywać go coraz silniej. Zastanawiał się, czy zdoła się pozbierać na tyle, żeby podjąć czekającą go pracę.

— Jak się ma Dave? — zapytał. — Wystarczająco dobrze, żebym mógł z nim porozmawiać? Chciałbym to zrobić, nim zabiorę się do pierwszego andka.

— Najpierw zajmiesz się Polokovem — stwierdził Bryant. —

Tym, który zlaserował Dave'a. Lepiej będzie załatwić go od razu, bo wie, że mamy go w spisie.

— Zanim porozmawiam z Dave'em?

Bryant sięgnął po arkusz żółtawej przebitki. Była to rozmyta trzecia czy czwarta kopia.

— Polokov pracował dla miasta jako zbieracz śmieci.

— Czy do tego nie zatrudnia się wyłącznie specjali?

— Polokov udaje specjala, mikrocefala. Jest bardzo zdegenerowany — albo symuluje. Tak właśnie nabrał Dave'a. Polokov najwidoczniej do tego stopnia wygląda i zachowuje się jak mikrocefal, że Dave dał się zaskoczyć. Czy jesteś teraz pewien skali Voigta-Kampffa? Musisz być absolutnie pewien po tym, co się zdarzyło w Seattle, tym...

— Jestem — zapewnił go krótko Rick. Nie wdawał się w szczegóły.

— Wierzę ci na słowo — stwierdził Bryant. — Ale nie może być nawet najmniejszego potknięcia...

— W polowaniu na andki nigdy nie może być potknięć. W tym wypadku jest tak samo.

— Nexus-6 jest inny.

— Już zidentyfikowałem pierwszego — rzekł Rick. — A Dave dwa. Trzy, jeżeli liczyć Polokova. Dobra, dzisiaj usunę Polokova, a wieczorem albo jutro porozmawiam z Dave'em. — Sięgnął po zamazaną kopię karty informacyjnej androida Polokova.

— Jeszcze jedno — dodał Bryant. — Leci tu sowiecki gliniarz z WOP. Zatelefonował do mnie, kiedy byłeś w Seattle. Jest na pokładzie rakiety Aerofłotu, która mniej więcej za godzinę wyląduje na miejskim lotnisku. Nazywa się Sandor Kadalyi.

— Czego chce? — Gliniarze z WOP bardzo rzadko, jeżeli w ogóle, pojawiali się w San Francisco.

— WOP jest tak bardzo zainteresowana nowymi modelami Nexusa-6, że chcą, aby ich człowiek ci towarzyszył. Jako obserwator. A jeżeli zdoła, również jako pomocnik. Od ciebie zależy, czy i kiedy go wykorzystasz. Ale już się zgodziłem, żeby do ciebie dołączył.

— A co z nagrodą? — zapytał Rick.

— Nie będziesz musiał się nią dzielić — wyjaśnił Bryant, uśmiechając się krzywo.

— Po prostu nie uważałbym tego za uczciwe. — Pod żadnym pozorem nie miał zamiaru dzielić się swoją zdobyczą z typem z WOP. Przeczytał uważnie kartę informacyjną Polokova. Był to opis mężczyzny, raczej andka, oraz jego adres i miejsce pracy: Zakład Oczyszczania Strefy Zatoki, którego biura mieściły się w Geary.

— Chcesz poczekać z usunięciem andka do czasu, aż sowiecki policjant przyleci tu, żeby ci pomóc? — spytał Bryant.

Rick najeżył się.

— Zawsze pracowałem sam. Oczywiście decyzja należy do pana, zrobię, co pan mi poleci. Ale najchętniej zabrałbym się do Polokova natychmiast, nie czekając na Kadalyiego.

— W takim razie załatw to sam — postanowił Bryant. — A przy następnym, którym będzie panna Luba Luft — masz tu również jej kartę informacyjną — możesz wykorzystać Kadalyiego.

Rick wepchnął przebitkowe kopie do walizeczki, wyszedł z gabinetu przełożonego i ponownie skierował się na dach, do zaparkowanego hovera. A teraz złóżmy wizytę panu Polokovovi, pomyślał i poklepał pistolet laserowy.

Podejmując pierwszą próbę odnalezienia androida Polokova, Rick pojechał do biura Zakładu Oczyszczania Strefy Zatoki.

— Szukam jednego z waszych pracowników — oznajmił surowej siwowłosej kobiecie obsługującej centralę telefoniczną. Biuro zakładu zrobiło na nim wrażenie — było duże, nowocześnie urządzone i zatrudniano w nim wielu wysokiej klasy specjalistów. Grube dywany i kosztowne biurka z prawdziwego drewna przypominały mu, że zbieranie i usuwanie odpadów od czasów wojny stało się jednym z najważniejszych przemysłów na Ziemi. Cała planeta zaczynała się rozpadać, zmieniać w śmietnisko i aby nadawała się do zamieszkania przez pozostałą na niej ludność, od czasu do czasu należało wywozić odpadki... W przeciwnym razie, jak lubił powtarzać Przyjazny Buster, Ziemia nie umrze pod warstwą pyłu radioaktywnego, ale chłamu.

— Tym zajmuje się pan Ackers — poinformowała go kobieta. — To kierownik kadr. — Wskazała na imponujących rozmiarów, ale wykonane z imitacji dębu biurko, przy którym siedział malutki pedantyczny mężczyzna w okularach, pogrążony bez reszty w swojej papierkowej pracy.

Rick pokazał mu swój policyjny identyfikator.

— Gdzie teraz znajduje się wasz pracownik Polokov? W pracy czy w domu?

Pan Ackers niechętnie sięgnął do dokumentów, przestudiował je i odparł:

— Powinien być w pracy. Zgniata hovery w zakładach Daly City i wrzuca je do zatoki. Ale... — Kadrowiec zapoznał się z kolejnym dokumentem, potem podniósł słuchawkę wideofonu i połączył się z kimś w tym samym budynku. — Nie ma go — powiedział po chwili do Ricka, odkładając słuchawkę. — Polokov nie przyszedł dziś do pracy. Bez powodu. Co on takiego zrobił, funkcjonariuszu?

— Gdyby się pokazał — odparł Rick — niech mu pan nie mówi, że byłem tu i pytałem o niego. Rozumie pan?

— Tak, rozumiem — niechętnie odparł Ackers, jakby urażony, że zlekceważono jego wielką wiedzę na temat procedur policyjnych.

Podrasowanym hoverem wydziału Rick poleciał następnie do budynku w Tenderloin, gdzie mieszkał Polokov. Nigdy go nie dopadniemy, myślał, Bryant i Holden czekali zbyt długo. Zamiast wysyłać mnie do Seattle, Bryant powinien pozwolić mi pójść tropem Polokova. Najlepiej gdyby zrobił to jeszcze ubiegłej nocy, natychmiast po tym, jak oberwał Dave Holden.

Cóż za ponure miejsce, zauważył, idąc po dachu do windy. Porzucone pomieszczenia dla zwierząt pokryte wielomiesięczną warstwą kurzu. A w jednej z klatek już nie działające pseudo-zwierzę — kurczak. Zjechał windą na piętro, gdzie znajdowało się mieszkanie Polokova, i zobaczył nie oświetlony, przypominający podziemną jaskinię korytarz. Policyjną latarką oświetlił korytarz i ponownie spojrzał na przebitkową kopię. Polokov został poddany testowi Voigta-Kampffa. Zatem można opuścić tę część procedury i od razu zabrać się do likwidacji androida.

Lepiej byłoby dostać go z tego miejsca, stwierdził. Postawił walizkę z wyposażeniem, otworzył ją po omacku, wyjął nadajnik rozproszonych fal Penfielda, wcisnął klawisz ustawiający częstotliwość katalepsji. Sam chroniony był przed rozproszonym promieniowaniem skierowaną na niego bezpośrednio falą niwelującą, którą emitował metalowy korpus nadajnika.

Teraz wszyscy są zamrożeni na sztywno, powiedział do siebie, wyłączając nadajnik. Wszyscy w okolicy — ludzie i andki. Nic mi nie grozi, muszę tylko wejść i zlaserować go. Zakładając, oczywiście, że jest w mieszkaniu, a to mało prawdopodobne.

Użył uniwersalnego klucza analizującego i otwierającego wszystkie rodzaje znanych zamków i wszedł do mieszkania Polokova z pistoletem laserowym w ręku. Androida nie było. Tylko na wpół rozpadające się umeblowanie, pomieszczenia opanowane przez chłam i rozpad. Żadnych osobistych przedmiotów. Ricka przywitały tu przedmioty, które Polokov odziedziczył, zajmując to mieszkanie. Kiedy będzie je opuszczać, pozostawi wszystko następnemu lokatorowi — jeżeli taki kiedykolwiek się zjawi.

Wiedziałem, pomyślał. No cóż, tak straciłem pierwszy tysiąc dolarów nagrody. Andek najprawdopodobniej zwiał gdzieś na Antarktydę. Poza moją jurysdykcję. Inny łowca, z innego wydziału policji, usunie Polokova i odbierze nagrodę. Chyba muszę się zająć andkami, których jeszcze nie ostrzeżono. Na przykład Lubą Luft.

Wrócił na dach, do hovera, i połączył się telefonicznie z Harrym Bryantem.

— Z Polokovem mi się nie udało — powiedział. — Najprawdopodobniej wyjechał natychmiast po zlaserowaniu Dave'a. — Popatrzył na zegarek. — Czy chce pan, żebym poleciał po Kadalyiego na lotnisko? Zyskalibyśmy na czasie, a bardzo bym chciał zająć się panną Luft. — Miał już przed sobą jej kartę informacyjną i czytał ją uważnie.

— Doskonały pomysł — rzekł Bryant. — Ale pan Kadalyi już tu jest. Samolot Aerofłotu, którym przyleciał, wylądował przed czasem, podobno jak zwykle. Chwileczkę. — Niewidzialna narada. — Poleci i spotka się z tobą tam, gdzie jesteś — oznajmił Bryant, wróciwszy na wizję. — A tymczasem przeczytaj mi o pannie Luft.

— Śpiewaczka operowa. Rzekomo z Niemiec. Obecnie na kontrakcie w zespole Opery San Francisco. — Deckard z namysłem pokiwał głową, analizując informacje z karty. — Musi mieć dobry głos, skoro tak szybko udało się jej nawiązać kontakty. W porządku, poczekam tu na Kadalyiego. — Powiedział Bryantowi, gdzie się znajduje, i rozłączył się.

Będę udawał miłośnika opery, postanowił Rick, zapoznawszy się z pozostałymi danymi. Szczególnie chciałbym zobaczyć ją w partii Donny Anny z *Don Giovanniego*. W swoich zbiorach mam taśmy takich dawnych sław jak Elisabeth Schwarzkopf, Lotte Lehmann i Lisa Della Casa. Nie zabraknie nam tematów do rozmowy, gdy będę rozstawiał aparaturę Voigta-Kampffa.

Rozległ się sygnał samochodowego wideofonu. Podniósł słuchawkę.

Odezwał się telefonista z Wydziału Policji:

— Panie Deckard, telefon do pana z Seattle. Pan Bryant powiedział, żeby go przełączyć. Z Korporacji Rosena.

— Dobrze — odparł Rick. Czego chcą? — zastanawiał się. Jak już zdołał się zorientować, Rosenowie zawsze przynosili złe nowiny. I najprawdopodobniej to się nie zmieni, bez względu na to, jakie mają zamiary.

Na maleńkim ekranie pojawiła się twarz Rachael Rosen.

— Witam, funkcjonariuszu Deckard. — Zwróciło jego uwagę, że ton głosu Rachael brzmi ugodowo. — Czy jest pan bardzo zajęty, czy też może pan ze mną porozmawiać?

— Proszę mówić — odparł.

— Omawialiśmy w spółce pańskie zadanie związane ze zbiegłymi androidami Nexus-6 i ponieważ znamy je bardzo dobrze, uznaliśmy, że pańskie szanse się zwiększą, jeżeli ktoś z nas będzie z panem współpracować.

— Jak?

— No cóż, chcielibyśmy, żeby ktoś panu towarzyszył, gdy zacznie ich pan szukać.

— Dlaczego? Co to da?

— Jeżeli z Nexusem-6 nawiąże kontakt człowiek, może to obudzić jego czujność — oznajmiła Rachael. — Ale jeśli będzie to inny Nexus-6...

— Mówisz o sobie.

— Tak. — Skinęła głową. Twarz miała poważną.

— Otrzymałem od was aż za wiele pomocy.

— Ale ja naprawdę sądzę, że pan mnie potrzebuje.

— Wątpię. Przemyślę to i dam znać. — W jakiejś odległej, nie sprecyzowanej przyszłości, powiedział w duchu. A najpewniej nigdy. Jeszcze tylko tego mi brakuje — Rachael Rosen wyskakująca na każdym kroku jak diabełek z pudełka.

— Mówi pan tak, żeby mnie zbyć — stwierdziła. — Nigdy pan do mnie nie zadzwoni. Nie orientuje się pan, jak sprawny jest zbiegły Nexus-6. Wykonanie tego zadania okaże się dla pana po prostu niemożliwe. Uważamy, że jesteśmy to panu winni z powodu... Wie pan. Z powodu tego, co zrobiliśmy.

— Zastanowię się. — Odjął słuchawkę od ucha.

— Beze mnie — dodała Rachael — jeden z nich okaże się szybszy od pana.

— Do widzenia — powiedział i odłożył słuchawkę. Co to za świat, zadał sobie pytanie, w którym android telefonuje do łowcy i proponuje mu pomoc? Zadzwonił do centrali policyjnej.

— Proszę nie łączyć ze mną żadnych rozmów z Seattle — polecił.

— Tak jest, panie Deckard. Czy pan Kadalyi dotarł już do pana?

— Ciągle na niego czekam. Lepiej niech się pośpieszy, bo nie mam zamiaru zbyt długo tu siedzieć. — Znowu odłożył słuchawkę.

Gdy wrócił do lektury karty informacyjnej Luby Luft, kilka jardów dalej wylądowała na dachu taksówka. Wysiadł z niej rumiany mężczyzna około pięćdziesięciu pięciu lat wyglądający jak Święty Mikołaj, ubrany w ciężki, solidny na pierwszy rzut oka płaszcz ewidentnie rosyjskiego kroju. Uśmiechając się, podszedł z wyciągniętą ręką do maszyny Ricka.

— Pan Deckard? — zapytał. Miał bardzo słowiańską wymowę. — Łowca z Wydziału Policji San Francisco? — Pusta taksówka wystartowała i Rosjanin odprowadził ją roztargnionym spojrzeniem. — Jestem Sandor Kadalyi — przedstawił się. Otworzył drzwi i wcisnął się obok Ricka.

Kiedy Deckard witał się z Kadalyim, zauważył u przedstawiciela WOP niezwykły pistolet laserowy, jakiego nigdy jeszcze nie widział.

— Ach, to? — powiedział Kadalyi. — Ciekawy, prawda? — Wyciągnął broń z kabury na pasku. — Dostałem go na Marsie.

— Myślałem, że znam każdą produkowaną broń ręczną — rzekł Rick. — Nawet wytwarzaną i używaną wyłącznie w koloniach.

— Robimy je sami — odparł Kadalyi, uśmiechnięty jak słowiański Mikołaj. Jego rumiana twarz promieniała dumą. — Funkcjonalna różnica polega na... Proszę, niech go pan weźmie. — Podał pistolet Rickowi, który obejrzał go okiem fachowca o wieloletnim doświadczeniu.

— Na czym polegają funkcjonalne różnice? — spytał Rick. Nie mógł niczego zauważyć.

— Niech pan naciśnie spust.

Rick wycelował w górę, za okno maszyny, i ściągnął język spustowy. Nic się nie stało, promień się nie pojawił. Ze zdziwieniem odwrócił się do Kadalyiego.

— Obwód spustowy nie jest podłączony — oznajmił wesoło Kadalyi. — Mam go przy sobie. Widzi pan? — Rozchylił dłoń, pokazując niewielką część. — W pewnych granicach mogę nim również celować. Bez względu na to, w którą stronę skierowana jest broń.

— Pan nie jest Polokovem, ale Kadalyim — stwierdził Rick.

— Chyba chciał pan powiedzieć na odwrót? Sprawia pan wrażenie nieco zmieszanego.

— Chciałem powiedzieć, że jesteś Polokovem, androidem, a nie przedstawicielem sowieckiej policji. — Czubkiem buta Rick wdusił przycisk alarmowy w podłodze maszyny.

— Dlaczego mój pistolet laserowy nie strzela? — zdziwił się Kadalyi-Polokov, włączając i wyłączając trzymany w dłoni zminiaturyzowany układ spustowo-celowniczy.

— Fala rozpraszająca — wyjaśnił Rick. — Polaryzuje promień lasera i rozprasza go w wiązkę zwykłego światła.

— W takim razie muszę ci po prostu skręcić ten cieniutki kark. — Android upuścił trzymany element i ze zduszonym rykiem oburącz schwycił Ricka za gardło.

Gdy dłonie androida zamknęły się na jego szyi, Rick wystrzelił ze swego służbowego staroświeckiego pistoletu, który nosił w kaburze pod pachą. Pocisk magnum kalibru 0.38 trafił androida w głowę i rozwalił obudowę mózgu. Zespół sterujący Nexus-6 eksplodował, rozlatując się na drobne odłamki, i przez kabinę pojazdu przeleciał gwałtowny podmuch. Wirujące kawałki elektronicznego mózgu opadały na Ricka jak radioaktywny pył. Szczątki usuniętego androida odleciały do tyłu, zderzyły się z drzwiami hovera, odbiły i mocno uderzyły Deckarda. Łowca ze wszystkich sił zaczął spychać z siebie drgające szczątki.

Rozdygotany sięgnął w końcu po słuchawkę wideofonu i zadzwonił do Pałacu Sprawiedliwości.

— Czy mogę złożyć meldunek? — powiedział. — Powtórzcie Harry'emu Bryantowi, że dostałem Polokova.

— Dostał pan Polokova. Bryant zrozumie, o co chodzi?

— Tak — odparł Rick i odłożył słuchawkę. Chryste, niewiele brakowało, pomyślał. Chyba musiałem za mocno zareagować na ostrzeżenie Rachael Rosen. Zmieniłem modus operandi i omal mnie to nie zgubiło. Ale dostałem Polokova, pomyślał. Nadnercza stopniowo przestały pompować swoje produkty do krwiobiegu, uderzenia serca zwolniły, stały się normalne, uspokoił się oddech. Ale mimo wszystko Deckard ciągle jeszcze dygotał. Właśnie udało mi się zarobić tysiąc dolarów, uświadomił sobie. A więc było warto. I moje reakcje są szybsze niż Dave'a Holdena. Choć oczywiście, muszę przyznać, że to, co stało się Dave'owi, najwyraźniej przygotowało mnie psychicznie. Dave nie miał takiego ostrzeżenia.

Znowu wziął słuchawkę i tym razem poprosił o połączenie z domem i Iran. Jednocześnie udało mu się zapalić papierosa. Drżenie rąk zaczęło ustępować.

Na ekranie pojawiła się twarz jego żony, opuchnięta po przewidzianej przez nią sześciogodzinnej pełnej samooskarżeń depresji.

— Och, halo Rick.

— Co się stało z 594, które wybrałem ci przed wyjściem? Przyjemne uświadomienie sobie...

— Zmieniłam je. Kiedy tylko wyszedłeś. A czego chciałeś? — W jej głosie zabrzmiały ponure, jękliwe tony przygnębienia. —

Jestem taka zmęczona, nie pozostał mi nawet cień nadziei, nic. Kiedy myślę o naszym małżeństwie i o tym, że może cię zabić jakiś andek... Czy to chciałeś mi powiedzieć, Rick? Że andek cię dopadł? — Głos Przyjaznego Bustera huczał i wył w tle, zagłuszając jej słowa. Rick widział, jak żona porusza ustami, ale słyszał tylko telewizor.

— Poczekaj — przerwał jej. — Słyszysz mnie? Mam coś. Nowy model androida, z którym najwyraźniej nikt poza mną nie może sobie dać rady. Usunąłem już jednego, a więc zdobyłem na początek tysiąc dolarów. Czy wiesz, ile dostaniemy, kiedy skończę tę robotę?

Iran patrzyła na niego niewidzącym wzrokiem.

— Och — rzekła, kiwając głową.

— Jeszcze ci nie powiedziałem! — Teraz jednak nie mógł tego zrobić. Tym razem popadła w tak głęboką depresję, że nawet go nie słyszała. Choć bardzo się starał, miał wrażenie, że mówi w próżnię. — Zobaczymy się wieczorem — skończył z goryczą i trzasnął słuchawką. Niech ją diabli, powiedział do siebie. Po co właściwie ryzykuję życie? Nie obchodzi jej nawet, czy będziemy mieli strusia, nic do niej nie dociera. Szkoda, że nie pozbyłem się jej dwa lata temu, kiedy rozważaliśmy możliwość separacji. Wciąż mogę to zrobić, pomyślał.

Z namysłem pochylił się, zebrał z podłogi wozu zmięte papiery, w tym również kartę Luby Luft. Nie mam żadnego wsparcia, stwierdził. Większość androidów, które znam, ma więcej chęci życia niż moja żona. Nie może mi nic dać.

Konkluzja ta spowodowała, że pomyślał o Rachael Rosen. Uświadomił sobie, że jej uwaga o sposobie myślenia Nexusa-6 okazała się słuszna. Ponieważ Rachael raczej nie będzie zgłaszała pretensji do nagrody, mógłby skorzystać z jej pomocy.

Potyczka z Kadalyim-Polokovem zdecydowanie zmieniła jego punkt widzenia.

Włączył silnik hovera i wystrzelił świecą w niebo, kierując się w stronę starego gmachu opery, gdzie zgodnie z notatkami Dave'a Holdena mógł o tej porze zastać Lubę Luft. Teraz zaczął myśleć i o niej. Niektóre kobiece androidy wydawały się całkiem atrakcyjne, niektóre pociągały go fizycznie, co było dość dziwnym uczuciem. Wiedział, że są maszynami, ale mimo wszystko reagował na nie emocjonalnie.

Na przykład Rachael Rosen. Nie, pomyślał, jest zbyt chuda. Ma nieszczególne kształty, zwłaszcza biust. Sylwetka jak u dziecka, płaska i bez wyrazu. Może postarać się o coś lepszego. Ile lat według karty informacyjnej ma Luba Luft? Prowadząc maszynę, wyciągnął pomięte notatki i znalazł jej rzekomy wiek. Dwadzieścia osiem. Ocena na podstawie wyglądu, który w wypadku andków jest jedynym nadającym się do zastosowania kryterium.

Dobrze, że wiem coś na temat opery, pomyślał Rick. To moja kolejna przewaga nad Dave'em. Lepiej znam się na kulturze.

Zanim poproszę Rachael o pomoc, spróbuję jeszcze z jednym andkiem, postanowił. Jeżeli panna Luft okaże się szczególnie trudnym przypadkiem... Miał jednak przeczucie, że tak się nie stanie. Polokov wprawdzie okazał się niebezpieczny, pozostałe jednak, nieświadome, że ktoś na nie poluje, będą padały jeden po drugim, trafiane jak kaczuszki na strzelnicy.

Gdy zniżał lot, kierując się ku ozdobnemu, rozległemu dachowi opery, śpiewał na głos wiązankę arii z wymyślanymi ad hoc pseudowłoskimi słowami. Nawet bez programatora nastroju Penfielda czuł, że ogarnia go optymistyczny nastrój. I pożądliwe, radosne oczekiwanie.

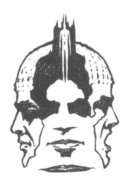

Rozdział IX

W stalowo-kamiennym gigantycznym brzuchu wieloryba, który przywodził na myśl wnętrze starej opery, odbywała się hałaśliwa, niosąca się echem, kiepsko zorganizowana próba. Gdy Rick Deckard wszedł do środka, poznał muzykę — *Czarodziejski flet* Mozarta, ostatnie sceny pierwszego aktu. Mauretańscy niewolnicy weszli ze swą partią mówioną o takt za wcześnie, co zniweczyło prosty rytm magicznych dzwonków.

Cóż za przyjemność, Rick uwielbiał *Czarodziejski flet*. Wszedł na balkon, nikt najwyraźniej nie zwrócił na niego uwagi, i usadowił się wygodnie. Teraz Papageno w swym fantastycznym płaszczu z ptasich piór przyłączył się do Paminy, aby zaśpiewać słowa, które zawsze wyciskały łzy z oczu Ricka.

Könnte jeder brave Mann
Solche Glöckchen finden,

Seine Feine würden dann
Ohne Mühe schwinden.

Cóż, pomyślał Rick, w prawdziwym życiu nie ma takich magicznych dzwonków, dzięki którym twój nieprzyjaciel znika bez śladu. Szkoda. A Mozart wkrótce po napisaniu *Czarodziejskiego fletu* zmarł — tuż po trzydziestce — na nerki. I został pochowany w bezimiennym grobie dla nędzarzy.

Zastanowił się, czy Mozart przeczuwał, że nie ma już przyszłości, że wykorzystał daną mu odrobinę czasu. Może ja czuję to również, pomyślał Rick, obserwując próbę. Próba się skończy, przedstawienie się skończy, śpiewacy umrą, ostatni zapis muzyki zostanie tak czy inaczej zniszczony, aż wreszcie zniknie samo nazwisko Mozart i pył zwycięży. Jeżeli nie na tej planecie, to na innej. Przez jakiś czas możemy go unikać. Tak jak andki mogą unikać mnie i istnieć jeszcze nieco dłużej. Ale dopadnę je, a jeżeli nie ja, to jakiś inny łowca. Na swój sposób, uświadomił sobie, jestem częścią niszczącego formę procesu entropii. Korporacja Rosena tworzy, a ja niszczę. Albo przynajmniej tak to mogą odbierać.

Na scenie Papageno i Pamina rozpoczęli duet. Deckard przerwał swój wewnętrzny monolog i zaczął słuchać.

Papageno: Moje dziecię, cóż teraz możemy powiedzieć?
Pamina: Prawdę. To właśnie powiemy.

Rick pochylony uważnie przyglądał się Paminie spowitej w ciężkie szaty. Z jej kwefu na ramiona i twarz spływał welon. Sprawdził kartę informacyjną i zadowolony odchylił się w fotelu. A więc widziałem już mojego trzeciego Nexusa-6, uświadomił sobie. To Luba Luft. Trochę to ironiczne, że otrzymała taką rolę.

Obojętne, jak bardzo żywotny, sprawny i atrakcyjny jest zbiegły android, to jednak nie może powiedzieć prawdy — w każdym razie o sobie.

Luba Luft śpiewała i Ricka zaskoczyło piękno jej głosu. Można go było porównać nawet do głosów największych sław, które miał w swojej kolekcji historycznych nagrań. Musiał przyznać, że Korporacja Rosena stworzyła dobry produkt. I znowu pomyślał o sobie *sub specie aeternitatis*, jako o niszczycielu formy sprowadzonym w to miejsce przez wszystko, co tu widział i słyszał. Być może im lepiej ona działa, im lepszą jest śpiewaczką, tym bardziej jestem potrzebny. Gdyby androidy utrzymały się poniżej standardów, gdyby były takie jak stare q-40 produkowane przez Spółkę Derain, nie byłoby problemu i zapotrzebowania na moje usługi. Ciekawe, kiedy powinienem to zrobić, zadał sobie pytanie. Chyba najszybciej jak to możliwe. Po próbie, kiedy wróci do swojej garderoby.

Skończył się akt i przerwano próbę. Dyrygent oznajmił po angielsku, francusku i niemiecku, że zostanie wznowiona za półtorej godziny, po czym wyszedł. Muzycy pozostawili instrumenty i także opuścili salę. Rick wstał i przeszedł za kulisy, do garderób. Szedł bez pośpiechu za ostatnimi członkami zespołu i zastanawiał się. Załatwię wszystko natychmiast, tak będzie najlepiej. Na rozmowę z nią i test poświęcę minimum czasu. Gdy tylko się upewnię — ale nie mógł uzyskać tej pewności, dopóki nie przeprowadzi testu. Może Dave źle ją ocenił, pomyślał. Mam nadzieję. Ale wątpił w to. Instynktownie zadziałał już jego zawodowy zmysł. A jeszcze nigdy go nie zawiódł, przez wszystkie lata, kiedy pracował w wydziale.

Zatrzymał statystę i zapytał o garderobę panny Luft. Ucharakteryzowany mężczyzna w kostiumie egipskiego włócznika wskazał mu drogę. Rick podszedł do drzwi, zobaczył wypisane atramentem na kartoniku słowa GARDEROBA PANNY LUFT i zastukał.

— Proszę.

Wszedł. Dziewczyna siedziała przy toaletce, trzymając na kolanach wyraźnie zużyty, oprawny w płótno egzemplarz partytury. Tu i ówdzie stawiała długopisem znaki. Wciąż miała na sobie kostium sceniczny, zdjęła jedynie kwef i położyła na półce.

— Tak? — powiedziała, podnosząc wzrok. Sceniczny makijaż powiększył jej oczy. Były olbrzymie, orzechowe i wpatrywały się w niego bez mrugnięcia powieką. — Jak pan widzi, jestem zajęta. — Mówiła po angielsku bez śladu obcego akcentu.

— W porównaniu ze Schwarzkopf wypada pani korzystniej — oświadczył Rick.

— Kim pan jest?

W jej głosie pobrzmiewała rezerwa — i charakterystyczny chłód, który często spotykał u innych androidów. Zawsze to samo — wspaniały intelekt, zdolność wielkich dokonań, ale i to. Nienawidził tego. Ale też gdyby zabrakło tej cechy, nie mógłby ich wytropić.

— Jestem z Wydziału Policji San Francisco — oznajmił.

— Och? — Wielkie, wyraziste oczy nie mrugnęły, nie pojawił się w nich błysk żadnego uczucia. — O co panu chodzi? — Dziwne, ale ton jej głosu wciąż był bardzo uprzejmy.

Usiadł na krześle i otworzył zamek błyskawiczny walizeczki.

— Przysłano mnie, żebym przeprowadził z panią standardowy test profilu osobowości. Zajmie zaledwie kilka minut.

— Czy to konieczne? — Wskazała wielki, oprawny w płótno egzemplarz partytury. — Mam jeszcze bardzo dużo do zrobienia. — Teraz sprawiała wrażenie zaniepokojonej.

— Konieczne. — Wyjął aparaturę Voigta-Kampffa i zaczął ją regulować.

— Test na inteligencję?

— Nie. Empatię.

— Będę musiała założyć okulary. — Wyciągnęła rękę, żeby otworzyć szufladę toaletki.

— Skoro może pani stawiać znaki w partyturze bez okularów, może pani również przejść bez nich test. Pokażę pani kilka obrazków i zadam kilka pytań. Poza tym... — Wstał i podszedł do niej. Pochylił się i przycisnął samoprzylepny krążek z siatką do jej mocno umalowanego policzka. — Jeszcze światło — dodał, dopasowując kąt padania promienia latarki. — I to wszystko.

— Pan uważa, że jestem androidem, prawda? — Jej głos stawał się niemal niesłyszalny. — Nie jestem androidem. Nie byłam na Marsie. Nigdy nawet nie widziałam androida! — Jej wydłużone rzęsy zatrzepotały mimowolnie. Zobaczył, że próbuje sprawiać wrażenie zupełnie spokojnej. — Czy ma pan informacje, że w tej obsadzie znajduje się android? Bardzo chętnie panu pomogę, a gdybym była androidem, czy zrobiłabym to chętnie?

— Androida nie obchodzi, co się stanie z innym androidem — powiedział. — To dla nas jedna ze wskazówek.

— W takim razie pan musi być androidem — stwierdziła panna Luft.

Zaniemówił i wytrzeszczył na nią oczy.

— Bo przecież pańska praca — ciągnęła — polega na ich zabijaniu, prawda? Jest pan kimś, kogo nazywają... — Próbowała sobie przypomnieć.

— Łowcą — wyjaśnił Rick. — Ale nie jestem androidem.

— Jeżeli chodzi o test, który chce pan ze mną przeprowadzić — jej głos stawał się coraz silniejszy — czy pan mu się poddał?

— Tak. — Skinął głową. — Dawno temu, kiedy zacząłem pracować w wydziale.

— Może to fałszywa pamięć? Czy androidy nie mają czasami fałszywej pamięci?

— Moi przełożeni znają wynik testu — stwierdził Rick. — To obowiązkowe.

— Może kiedyś był człowiek, który wyglądał jak pan, i gdzieś kiedyś pan go zabił, po czym zajął jego miejsce. A pańscy przełożeni o tym nie wiedzą. — Uśmiechnęła się do niego, jakby prosząc, żeby się przyznał.

— Zaczynamy — oznajmił, wyjmując arkusze testowe.

— Poddam się testowi — powiedziała Luba Luft — jeżeli pan zrobi to pierwszy.

Znowu popatrzył na nią oniemiały.

— Czy to nie byłoby uczciwsze? — spytała. — Wtedy mogłabym być pana pewna. Nie wiem, sprawia pan jakieś szczególne, takie obce i twarde wrażenie. — Zadrżała, ale znowu się uśmiechnęła. Z nadzieją.

— Nie umiałaby pani przeprowadzić testu Voigta-Kampffa. Wymaga to dużego doświadczenia. A teraz proszę posłuchać uważnie. Będę przedstawiał sytuacje, w jakich mogłaby się pani znaleźć. Chcę, żeby pani mówiła, jak by na nie zareagowała. I to jak najszybciej. Jednym z rejestrowanych przeze mnie czynników jest szybkość reakcji.

Wybrał pierwszą sytuację testową.

— Siedzi pani, oglądając telewizję, i nagle zauważa, że po przegubie pełznie pani osa. — Spojrzał na zegarek, odliczając sekundy. Popatrzył również na dwie skale.

— Co to takiego osa? — spytała Luba Luft.

— Latający owad, który żądli.

— Och, jakie to dziwne. — Jej olbrzymie oczy rozszerzyły się z dziecięcym zdziwieniem, jakby podzielono się z nią jakąś podstawową zagadką stworzenia. — To one wciąż istnieją? Nigdy nie widziałam nic takiego.

— Wymarły z powodu pyłu. Czy rzeczywiście nie wie pani, jak wygląda osa? Przecież osy żyły jeszcze po pani urodzeniu. Wyginęły dopiero...

— Proszę mi podać niemiecką nazwę.

Próbował sobie przypomnieć, jak po niemiecku nazywa się osa, ale nie mógł.

— Mówi pani doskonale po angielsku — oznajmił ze złością.

— Mam doskonałą wymowę — poprawiła go. — To konieczne ze względu na role. Ze względu na Purcella, Waltona i Vaughana Williamsa. Ale nie mam zbyt bogatego słownictwa. — Spojrzała na niego figlarnie.

— *Wespe* — powiedział, przypomniawszy sobie wreszcie niemieckie słowo.

— Ach tak, *eine Wespe*. — Roześmiała się. — A o co chodziło? Już zapomniałam.

— Spróbujmy czego innego. — W tej sytuacji nie uzyskałby żadnej sensownej odpowiedzi. — Ogląda pani w telewizji stary film nakręcony jeszcze przed wojną. Przedstawiony jest na nim bankiet. Głównym daniem — opuścił pierwszą część pytania — jest gotowany pies nadziewany ryżem.

— Nikt nie zabiłby i nie zjadł psa — odparła Luba Luft. — Przecież jest wart majątek. Ale, jak sądzę, byłby to nieprawdziwy pies, *ersatz*. Prawda? Tyle że one są przecież zrobione z drutów i silników. Nie można ich jeść.

— To było przed wojną — warknął.

— Przed wojną jeszcze się nie urodziłam.

— Ale widziała pani stare filmy w telewizji.

— Czy film kręcono na Filipinach?

— Dlaczego?

— Bo na Filipinach — odparła Luba Luft — jedzono gotowane psy nadziewane ryżem. Pamiętam, że gdzieś o tym czytałam.

— Chcę poznać pani reakcję na tę sytuację — powiedział. — Społeczną, emocjonalną i moralną.

— Na film? — zapytała. — Wyłączyłabym go i zaczęłabym oglądać Przyjaznego Bustera.

— Dlaczego by go pani wyłączyła?

— No cóż — odparła z zapałem — któż, u diabła, chciałby oglądać stary film nakręcony na Filipinach? Czy na Filipinach zdarzyło się cokolwiek poza bataańskim marszem śmierci i czy miałby pan ochotę to oglądać? — Spojrzała na niego pytająco. Na aparaturze wskazówki tańczyły we wszystkie strony.

Po chwili przerwy powiedział ostrożnie:

— Wynajęła pani domek w górach.

— *Ja.* — Skinęła głową. — Proszę dalej. Słucham.

— Znajduje się on we wciąż jeszcze zielonej strefie.

— Przepraszam. — Przyłożyła dłoń do ucha. — Nigdy nie słyszałam takiego określenia.

— Miejsce, w którym jeszcze rosną drzewa i krzewy. Domek utrzymany jest w wiejskim stylu, zbudowano go z sękatych bali i znajduje się w nim wielki kominek. Na ścianach ktoś rozwiesił stare mapy. Są tam też ryciny Curriera i Ivesa, a nad kominkiem umieszczono głowę jelenia, byka o wielkim porożu. Ludzie, z którymi pani tam przyjechała, podziwiają wystrój wnętrza i…

— Nie rozumiem słów „Currier", „Ives" i „wystrój wnętrza" — powiedziała Luba Luft, sprawiała jednak wrażenie, że stara się je zrozumieć. — Chwileczkę. — Podniosła rękę. — Z ryżem, jak pies. Currier to jest to, co dodaje się do ryżu. Po niemiecku to się nazywa curry.

Nie miał najmniejszego pojęcia, czy Luba Luft rozmyślnie wprowadza ten szum semantyczny. Po chwili zastanowienia postanowił dalej prowadzić test. Cóż jeszcze mu pozostało?

— Umawia się pani z mężczyzną — powiedział. — On zaprasza panią do siebie. Kiedy już pani weszła do jego mieszkania...

— *Oh nein* — przerwała mu Luba. — Nie weszłabym. To łatwa odpowiedź.

— Ależ nie o to mi chodzi!

— Czy zadał pan niewłaściwe pytanie? Ale ja je zrozumiałam. Dlaczego pytanie, które zrozumiałam, jest niewłaściwe? Czy nie powinnam go zrozumieć? — Potarła nerwowo policzek... i oderwała samoprzylepny krążek. Spadł na podłogę, odskoczył i potoczył się pod toaletkę. — *Ach, Gott* — mruknęła, usiłując go podnieść. Rozległ się trzask pękającego materiału. Puścił jej kunsztowny kostium.

— Sam go znajdę — powiedział i odsunął ją na bok. Ukląkł, przez chwilę macał pod toaletką, aż jego palce odnalazły krążek.

Kiedy wstał, patrzył prosto w lufę laserowego pistoletu.

— Pańskie pytania — oznajmiła suchym, oficjalnym tonem Luba Luft — zaczęły dotyczyć spraw seksu. Przewidywałam, że do tego dojdzie. Wcale nie jest pan policjantem, ale zboczeńcem seksualnym.

— Może pani obejrzeć moją legitymację. — Sięgnął do kieszeni. Zobaczył, że jego ręka znowu zaczęła się trząść, jak przy spotkaniu z Polokovem.

— Jeżeli pan to zrobi, zabiję pana — zagroziła Luba Luft.

— I tak pani to zrobi. — Zastanawiał się, jaki przebieg miałoby to spotkanie, gdyby poczekał, aż dołączy do niego Rachael Rosen. No cóż, nie warto już roztrząsać tej sprawy.

— Chciałabym zobaczyć inne pańskie pytania. — Wyciągnęła dłoń. Niechętnie podał jej kartki. — „W czasopiśmie znajduje pani pełnostronicowe zdjęcie nagiej dziewczyny". No cóż, mamy następne. „Zaszła pani w ciążę z mężczyzną, który obiecał się z panią ożenić. Mężczyzna ucieka z inną kobietą, pani najlepszą przyjaciółką. Przeprowadza pani aborcję". Tendencja pańskich pytań jest oczywista. Mam zamiar powiadomić policję. — Wciąż mierząc do niego z pistoletu laserowego, przeszła przez garderobę, podniosła słuchawkę wideofonu i połączyła się z centralą. — Proszę mnie połączyć z Wydziałem Policji San Francisco — powiedziała. — Chcę wezwać policjanta.

— Postępuje pani jak najsłuszniej — stwierdził z ulgą Rick. Mimo wszystko wydawało mu się jednak dziwne, że Luba podjęła taką właśnie decyzję. Dlaczego po prostu go nie zabiła? Kiedy zjawi się policja, straci wszelką przewagę i wszystko potoczy się zgodnie z jego planem.

Z całą pewnością sądzi, że jest człowiekiem, uznał. Najwyraźniej nie wie.

Po kilku minutach, w czasie których Luba uważnie mierzyła do niego z pistoletu laserowego, pojawił się potężny gliniarz w staroświeckim granatowym mundurze z gwiazdą na piersi i pistoletem u boku.

— W porządku — natychmiast zwrócił się do Luby. — Proszę to zostawić.

Położyła pistolet na toaletce. Policjant sięgnął po broń i sprawdził, czy jest załadowana.

— A teraz proszę wyjaśnić, co się tu dzieje? — zapytał Lubę, ale zanim zdążyła odpowiedzieć, zwrócił się do Ricka. — Kim pan jest? — zapytał.

— Przyszedł do mojej garderoby — powiedziała Luba Luft. — Nigdy przedtem go nie widziałam. Udawał, że przeprowadza wywiady czy coś w tym rodzaju i chciał ze mną rozmawiać. Pomyślałam, że wszystko jest w porządku, i się zgodziłam. A wtedy zaczął mi zadawać nieprzyzwoite pytania.

— Proszę mi okazać swoją legitymację — zażądał gliniarz, wyciągając dłoń w stronę Ricka.

Deckard wyjął identyfikator i powiedział:

— Jestem łowcą.

— Znam wszystkich łowców — odparł policjant, przeglądając portfel. — W której komendzie pan pracuje?

— Moim przełożonym jest inspektor Harry Bryant — wyjaśnił Rick. — Przejąłem listę Dave'a Holdena, gdy Dave trafił do szpitala.

— Jak już powiedziałem, znam wszystkich łowców — powtórzył gliniarz — ale nigdy o panu nie słyszałem. — Oddał Rickowi legitymację.

— Niech pan zadzwoni do inspektora Bryanta — zażądał Rick.

— Nie ma żadnego inspektora Bryanta — odparł policjant.

Rick zrozumiał, co się dzieje.

— Jesteś androidem — powiedział do gliniarza. — Tak jak panna Luft. — Podszedł do wideofonu i sam podniósł słuchawkę. — Mam zamiar zadzwonić do komendy. — Zastanawiał się, co uda mu się zdziałać, zanim androidy go powstrzymają.

— Numer do komendy... — odezwał się policjant.

— Znam go. — Rick wybrał cyfry i połączył się z centralą. — Chciałbym mówić z inspektorem Bryantem — oznajmił.

— Kto mówi?

— Rick Deckard. — Stał przy wideofonie i czekał. W tym samym czasie stojący z boku policjant spisywał zeznania Luby Luft. Żadne z nich nie zwracało na niego uwagi.

Po chwili na ekranie pojawiła się twarz Harry'ego Bryanta.

— Co się dzieje? — zapytał Ricka.

— Mam pewne kłopoty — odparł Rick. — Jedno z listy Dave'ego zdołało zadzwonić i przywołać tu rzekomego policjanta ze służby patrolowej. Wygląda na to, że nie jestem w stanie mu udowodnić, kim jestem. Mówi, że zna wszystkich łowców z wydziału i nigdy o mnie nie słyszał. O panu również — dodał.

— Pozwól mi z nim porozmawiać — polecił Bryant.

— Inspektor Bryant chce z panem mówić. — Rick podał policjantowi słuchawkę. Gliniarz przestał przesłuchiwać pannę Luft i podszedł do wideofonu.

— Posterunkowy Crams — rzekł energicznie. Po chwili dodał: — Halo? — Przez chwilę powtarzał „halo", poczekał jeszcze trochę, a potem odwrócił się do Ricka. — Nie mam nikogo na linii. Ani na ekranie.

Rick odebrał słuchawkę od policjanta i powiedział:

— Panie Bryant?

Słuchał i czekał, ale na próżno.

— Zadzwonię jeszcze raz.

Odłożył słuchawkę, odczekał chwilę, ponownie wybrał dobrze znany numer. Wideofon dzwonił, ale nikt nie odpowiadał. Sygnał rozbrzmiewał raz za razem.

— Może ja spróbuję — powiedział posterunkowy Crams i wziął słuchawkę z ręki Ricka. — Musiał się pan źle połączyć. — Wybrał cyfry na klawiaturze wideofonu. — Numer do komendy jest 842...

— Znam numer — odparł Rick.

— Mówi posterunkowy Crams — odezwał się gliniarz do słuchawki. — Czy w komendzie pracuje inspektor Bryant? — Chwila ciszy. — No cóż, a łowca o nazwisku Rick Deckard? — Znowu chwila ciszy. — Jest pan pewien? Czy mógł niedawno... Aha, rozumiem, sir, dobrze, dziękuję. Nie, panuję nad sytuacją. — Posterunkowy Crams odłożył słuchawkę i odwrócił się do Ricka.

— Przecież się połączyłem — odezwał się Rick. — Mówiłem z nim. Powiedział, że z panem porozmawia. To na pewno wina wideofonu. Gdzieś musiało przerwać połączenie. Czy pan nie rozumie? Twarz Bryanta pojawiła się na ekranie, a potem po prostu znikła. — Był zupełnie zdezorientowany.

— Mam zeznania panny Luft, Deckard — oznajmił posterunkowy Crams. — Jedziemy więc do Pałacu Sprawiedliwości, żebym mógł pana zarejestrować.

— To zboczeniec — stwierdziła Luba Luft. — Zimno mi się robi na jego widok. — Zadygotała.

— Premierę jakiej opery państwo szykujecie? — zapytał ją Crams.

— *Czarodziejskiego fletu* — odparł Rick.

— Nie pana pytałem. — Policjant popatrzył na niego z niechęcią.

— Bardzo bym chciał się wreszcie dostać do Pałacu Sprawiedliwości — powiedział Rick. — Powinniśmy wyjaśnić całą tę sprawę. Ruszył do drzwi garderoby, ściskając w ręku uchwyt walizeczki.

— Najpierw pana zrewiduję.

Posterunkowy Crams zręcznie go obszukał i znalazł pistolety Ricka — służbowy i laserowy. Zabrał oba, a następnie przez chwilę wąchał lufę służbowego.

— Z tego niedawno strzelano — oznajmił.

— Niedawno usunąłem z niego andka — wyjaśnił Rick. — Mam jego szczątki w hoverze na dachu.

— Dobra — stwierdził Crams. — Pójdziemy i obejrzymy je.

Kiedy wychodzili z garderoby, panna Luft podeszła za nimi do drzwi.

— On już tu nie wróci, prawda, panie posterunkowy? — zapytała. — Bardzo się go boję, jest taki dziwny.

— Jeżeli na górze, w jego maszynie, są zwłoki kogoś, kogo zabił — odparł Crams — to na pewno nie wróci. — Wypchnął Ricka za drzwi i wjechali windą na dach opery.

Posterunkowy Crams otworzył drzwi hovera Ricka i w milczeniu przyjrzał się ciału Polokova.

— Android — starał się wyjaśnić Rick. — Wysłano mnie po niego. Omal mnie nie dostał, udając, że jest…

— Złoży pan zeznania w Pałacu Sprawiedliwości — przerwał mu Crams. Popchnął Ricka do swojej oznakowanej, stojącej nie opodal policyjnej maszyny. Siedząc już w środku, połączył się z kimś przez radio i polecił mu przyjechać po ciało Polokova. — Dobra, Deckard — powiedział, odkładając słuchawkę. — Ruszamy.

Patrolowy hover wzbił się z dachu i skierował na południe.

Rick zauważył, że coś jest nie tak. Posterunkowy Crams prowadził maszynę w niewłaściwym kierunku.

— Pałac Sprawiedliwości — powiedział — jest przy Lombard.

— To dawny Pałac Sprawiedliwości — odparł Crams. — Nowy znajduje się przy Mission. Stary się rozpada, to ruina. Od lat nikt już z niego nie korzysta. Jak dawno rejestrowano pana po raz ostatni?

— Proszę mnie tam zawieźć — zażądał Rick. — Na Lombard Street. — Teraz zrozumiał już wszystko. Zobaczył, co współpracujące ze sobą androidy zdołały osiągnąć. Nie przeżyje tej podróży. Dla niego był to już koniec, tak jak niewiele brakowało, aby koniec spotkał Dave'a — i najprawdopodobniej spotka.

— Dziewczyna była cholernie atrakcyjna — odezwał się posterunkowy Crams. — Oczywiście w tym kostiumie trudno ocenić jej figurę. Ale jest diablo dobra.

— Niech pan przyzna, że jest androidem — poprosił Rick.

— Dlaczego? Przecież to nieprawda. A pan co, włóczy się, zabijając ludzi i wmawiając sobie, że byli androidami? Teraz rozumiem, dlaczego panna Luft tak się bała. Słusznie, że po nas zadzwoniła.

— W takim razie niech mnie pan zawiezie do Pałacu Sprawiedliwości przy Lombard.

— Już mówiłem...

— To przecież zajmie tylko trzy minuty — powiedział Rick. — Chcę to zobaczyć. Każdego ranka przychodzę tam do pracy i podpisuję listę. Chcę na własne oczy zobaczyć, że ten budynek jest od lat opuszczony, jak mi pan powiedział.

— Może jest pan androidem? — rzekł Crams. — Z fałszywą pamięcią, w którą je wyposażają. Czy pan o tym pomyślał? — Uśmiechnął się przyjaźnie i w dalszym ciągu leciał na południe.

Rick uświadomił sobie, że poniósł klęskę. Opadł na siedzenie maszyny i bezradnie czekał, co nastąpi dalej. Bez względu na to, co zaplanowały androidy, miały go teraz w garści.

Ale załatwiłem jednego z nich, powiedział sobie. Dopadłem Polokova. A Dave usunął dwa.

Policyjna maszyna posterunkowego Cramsa zawisła nad Mission, szykując się do lądowania.

Rozdział X

Z dachu budynku Pałacu Sprawiedliwości przy Mission Street, na który opadał hover, sterczał szereg ozdobnych barokowych wieżyczek. Skomplikowany nowoczesny gmach wydał się Rickowi bardzo interesujący — tyle że nigdy przedtem go nie widział.

Policyjna maszyna wylądowała. I po paru minutach Ricka wpisano do rejestru.

— 304 — powiedział posterunkowy Crams do sierżanta siedzącego przy pulpicie. — I 612,4. I jeszcze jedno. Podszywanie się pod funkcjonariusza policji.

— 406,7 — stwierdził sierżant, wypełniając blankiety. Pisał niedbale, z lekko znudzoną miną. Wyraz jego twarzy i gesty świadczyły, że to zwyczajna sprawa. Nic ważnego.

— Tędy — polecił Rickowi Crams i poprowadził go ku niewielkiemu, białemu stolikowi, przy którym technik obsługiwał znajomą aparaturę. — Zdejmiemy tu wzory funkcji mózgowych. W celach identyfikacyjnych.

— Wiem — odparł ostro Rick. W dawnych czasach, kiedy sam był zwykłym policjantem, przyprowadził do takiego stołu wielu podejrzanych. Takiego, ale nie tego stołu. Kiedy zdjęto mu już wzory czynności mózgowych, przeprowadzono go do równie znajomego pokoju. Odruchowo zaczął przygotowywać swoje wartościowe przedmioty do złożenia w depozycie. To nie ma sensu, powiedział sobie. Kim są ci ludzie? Jeżeli to miejsce rzeczywiście istnieje, to dlaczego o nim nie wiedział? I dlaczego oni nie wiedzą o nas? Dwie równoległe komendy policji, pomyślał — nasza i ta. Które na dodatek nigdy dotąd się ze sobą nie zetknęły, a przynajmniej on nic o tym nie wiedział. Może jednak były w kontakcie? — pomyślał. Może to nie pierwszy przypadek. Trudno uwierzyć, pomyślał, że coś takiego nie zdarzyłoby się już dawno temu. Jeżeli to rzeczywiście komenda policji, jeżeli naprawdę są tymi, za których się podają.

Mężczyzna w cywilnym ubraniu ruszył z miejsca, w którym stał, podszedł do Ricka Deckarda wolnym, miarowym krokiem i przyjrzał mu się zdziwiony.

— Co to za jeden? — zapytał posterunkowego Cramsa.

— Podejrzany o zabójstwo — odparł Crams. — Mamy ciało — znaleźliśmy je w jego samochodzie, ale on twierdzi, że to android. Sprawdzimy, przesyłając szpik kostny do laboratorium. Podszywał się również pod funkcjonariusza policji, a konkretnie łowcę. Robił to, żeby się dostać do garderoby pewnej kobiety, gdzie zadawał jej dwuznaczne pytania. Miała wątpliwości, czy jest tym, za kogo się podaje, i dlatego nas wezwała. — Crams zrobił krok do tyłu i powiedział: — Czy chce pan skończyć przesłuchanie?

— Dobrze. — Starszy funkcjonariusz policji, ubrany po cywilnemu, niebieskooki, o wąskim nosie z rozszerzającymi się nozdrzami i mało wyrazistych ustach, przyjrzał się Rickowi, a potem wyciągnął rękę i ujął jego walizeczkę.

— Co pan tu ma, panie Deckard? — zapytał.

— Narzędzia i materiały do testu osobowości Voigta-Kampffa — odparł Rick. — Zostałem aresztowany przez posterunkowego Cramsa, kiedy przeprowadzałem badanie podejrzanej. — Patrzył, jak oficer policji przegląda zawartość walizeczki, uważnie sprawdzając każdy przedmiot. — Pytania, które zadawałem pannie Luft, należą do standardowego zestawu V-K opublikowanego w...

— Czy zna pan George'a Gleasona i Phila Rescha? — spytał oficer.

— Nie — odpowiedział Deckard. Żadne z tych nazwisk nic mu nie mówiło.

— Są łowcami z północnej Kalifornii. Ale pracują w naszej komendzie. Może przebywając tutaj, spotka się pan z nimi. Czy jest pan androidem, panie Deckard? Pytam o to, bo kilkakrotnie w przeszłości mieliśmy do czynienia ze zbiegłymi andkami, które udawały ścigających podejrzanego łowców z innych stanów.

— Nie jestem androidem — odparł Rick. — Może pan przeprowadzić ze mną test Voigta-Kampffa. Przechodziłem go przedtem i nie mam żadnych zastrzeżeń, żeby poddać się mu znowu. Ale wiem, jaki będzie rezultat. Czy mogę zadzwonić do mojej żony?

— Wolno panu wykonać jeden telefon. Woli pan zadzwonić do niej czy do adwokata?

— Zadzwonię do żony — stwierdził Rick. — Ona będzie mogła załatwić mi adwokata.

Oficer w cywilu podał mu pięćdziesięciocentówkę i wskazał aparat.

— Tam jest wideofon. — Popatrzył, jak Rick idzie przez pokój w stronę aparatu, i ponownie zajął się badaniem zawartości walizeczki Ricka.

Rick wrzucił monetę i wybrał swój domowy numer. Miał wrażenie, że czeka przez całą wieczność.

Na ekranie pojawiła się twarz.

— Halo? — odezwała się jakaś kobieta.

To nie była Iran. Nigdy w życiu jej nie widział.

Odłożył słuchawkę i wolnym krokiem wrócił do funkcjonariusza policji.

— Nie miał pan szczęścia? — spytał policjant. — No cóż, może pan zadzwonić jeszcze raz, nasze zasady pod tym względem są liberalne. Nie mogę panu zaproponować rozmowy z osobą mogącą wpłacić kaucję, bo pańskie przestępstwo nie pozwala w tej chwili na warunkowe zwolnienie. Jednak kiedy zostanie pan postawiony w stan oskarżenia…

— Wiem — przerwał mu kwaśno Rick. — Znam policyjną procedurę.

— Proszę, oto pańska walizeczka — powiedział oficer, podając mu ją. — Chodźmy do mojego gabinetu… Chciałbym z panem jeszcze porozmawiać. — Poszedł przed Rickiem bocznym korytarzem. Po chwili zatrzymał się i odwrócił w jego stronę. — Nazywam się Garland. — Wyciągnął rękę i wymienili krótki uścisk dłoni.

— Proszę usiąść — powiedział Garland, otworzywszy drzwi do gabinetu, i wcisnął się za wielkie, czyste biurko.

Rick usiadł twarzą do niego.

— Chodzi mi o ten test Voigta-Kampffa, o którym pan wspomniał — rzekł Garland, wskazując walizeczkę Ricka. — I o materiały, które ma pan przy sobie. — Nabił i zapalił fajkę, a potem pykał nią przez chwilę. — Czy to narzędzia do wykrywania andków?

— To nasz podstawowy test — wyjaśnił Rick. — Jedyny, który obecnie stosujemy. I jedyny, który pozwala zidentyfikować nowy zespół mózgowy Nexus-6. Nie słyszał pan o nim?

— Słyszałem o kilku skalach analityczno-profilowych, które stosuje się do androidów. Ale nie o tej. — W dalszym ciągu uważnie obserwował Ricka. Twarz miał napiętą. Deckard nie mógł się zorientować, o czym Garland myśli.

— A poza tym te rozmazane przebitkowe kopie — ciągnął Garland. — Te, które miał pan w walizeczce. Polokov, panna Luft… Pańskie zadania. Następne dotyczy mnie.

Rick wytrzeszczył na niego oczy, a potem chwycił walizeczkę. Po chwili leżały przed nim rozłożone kopie. Garland mówił prawdę. Deckard uważnie studiował kartę. Milczeli przez jakiś czas. Wreszcie policjant odchrząknął i zakaszlał nerwowo.

— To nieprzyjemne uczucie — powiedział. — Nagle znalazłem się na liście zadań łowcy. Albo kogoś, kimkolwiek pan jest, Deckard. — Przycisnął guzik stojącego na biurku interkomu i powiedział: — Przyślijcie mi któregoś z łowców, mniejsza o to którego. Dobra, dziękuję. — Zwolnił przycisk. — Phil Resch będzie tu mniej więcej za minutę — poinformował Ricka. — Zanim zaczniemy dalsze postępowanie, chciałbym zobaczyć jego listę.

— Sądzi pan, że ja mogę się na niej znajdować? — zapytał Rick.

— To możliwe. Wkrótce się przekonamy. W takich delikatnych sytuacjach lepiej zachować ostrożność. Nie zostawiać niczego przypadkowi. Na przykład ta dotycząca mnie karta informacyjna. — Wskazał rozmazaną kopię. — Nie podano w niej, że jestem inspektorem policji. Niewłaściwie określono zawód, pisząc, że jestem agentem ubezpieczeniowym. Poza tym wszystko się zgadza: rysopis, wiek, przyzwyczajenia, adres domowy. Tak, to ja, nie ma wątpliwości. Niech pan sam sprawdzi. — Podsunął kartkę Rickowi, który wziął ją i przeczytał.

Otworzyły się drzwi gabinetu i pojawił się w nich wysoki chudy mężczyzna o ostrych rysach, kręconej, spiczastej bródce i w okularach o rogowej oprawie. Garland wstał i wskazał Ricka.

— Phil Resch, Rick Deckard. Obaj panowie jesteście łowcami i chyba najwyższa pora, żebyście się poznali.

Phil Resch, witając się z Rickiem, zapytał:

— W jakim mieście pan pracuje?

— W San Francisco — odpowiedział za Deckarda Garland. — Zobacz, proszę, jego rozkład zadań. Następną pozycję. — Podał Reschowi kartę, którą Rick czytał przed chwilą, tę, na której znajdował się jego opis.

— O rany, Gar — rzekł Resch. — To ty.

— To jeszcze nie wszystko. — Ma w zleceniach usunięcie również Luby Luft, tej śpiewaczki operowej, i Polokova. Pamiętasz Polokova? Nie żyje. Ten łowca czy android albo kimkolwiek on jest, dopadł go i teraz przeprowadzamy w laboratorium badania jego szpiku kostnego. Żeby sprawdzić, czy były uzasadnione podstawy...

— Rozmawiałem z Polokovem — przerwał mu Phil Resch. — To ten wielki Święty Mikołaj z sowieckiej policji? — Zamyślił się, szarpiąc swą rozczochraną brodę. — Uważam, że pomysł z analizą jego szpiku kostnego jest bardzo dobry.

— Dlaczego tak mówisz? — zapytał poirytowany Garland. — Zrobiłem to, aby usunąć prawne podstawy, które pozwalałyby Deckardowi twierdzić, że nikogo nie zabił, lecz jedynie „usunął androida".

— Polokov zrobił na mnie wrażenie zimnego faceta — odparł Phil Resch. — Wyjątkowo wyrachowanego i obojętnego na wszystko.

— Wielu sowieckich policjantów jest takich — powiedział podrażniony Garland.

— Nigdy nie spotkałem Luby Luft — ciągnął Resch. — Ale słyszałem jej nagrania. Poddał ją pan testowi? — zwrócił się do Ricka.

— Zacząłem — odpowiedział Rick. — Ale nie zdołałem uzyskać dokładnych odczytów. Potem zawołała policjanta, który zakończył sprawę.

— A Polokova? — spytał Resch.

— Nie miałem szansy przeprowadzić testu.

— I domyślam się — powiedział Phil Resch, właściwie do siebie — że nie miał pan okazji poddać testowi inspektora Garlanda.

— Oczywiście, że nie — wtrącił się Garland. Twarz miał skrzywioną z oburzenia. Mówił urywanie, ostro i z goryczą.

— Jaki test pan stosuje? — zapytał Phil Resch.

— Voigta-Kampffa.

— Tego akurat nie znam. — Resch i Garland wydawali się pogrążeni w pośpiesznych zawodowych rozmyślaniach, choć nie na ten sam temat.

— Zawsze mówię — ciągnął Resch — że najlepszą kryjówką dla androida byłaby wielka służba policyjna, taka jak WOP. Od pierwszej chwili, kiedy spotkałem Polokova, miałem chęć go przetestować, ale nie było po temu żadnego pretekstu. I nigdy by się nie pojawił... Dla pomysłowego androida na tym właśnie polegałaby wyjątkowa zaleta takiej przykrywki.

Inspektor Garland wstał wolno, popatrzył na Phila Rescha i zapytał:

— Mnie też chciałeś poddać testowi?

Przez twarz Rescha przemknął nikły uśmieszek. Otworzył usta, żeby odpowiedzieć, ale tylko wzruszył ramionami. Milczał. Mimo wręcz namacalnego gniewu Garlanda, sprawiał wrażenie, że w ogóle nie obawia się przełożonego.

— Chyba nie do końca rozumiesz sytuację — rzekł Garland. — Ten mężczyzna... albo android... o nazwisku Rick Deckard przychodzi do nas z jakiejś mitycznej, nie istniejącej, widmowej instytucji policyjnej, która rzekomo ma siedzibę w budynku starej komendy przy Lombard. Nigdy o nas nie słyszał, my zaś nigdy nie słyszeliśmy o nim. A jednak wszystko wskazuje na to, że pracujemy po tej samej stronie barykady. Stosuje test, o którym nigdy nie słyszeliśmy. Na liście, którą ma przy sobie, nie ma androidów — to lista ludzi. Już zabił jednego człowieka, co najmniej jednego. I gdyby pannie Luft nie udało się zatelefonować, pewnie zabiłby i ją, a potem najprawdopodobniej zacząłby węszyć za mną.

— Hmm — mruknął Resch.

— Hmm — gniewnie spapugował go Garland. Wyglądał, jakby zaraz miał dostać apopleksji. — Tylko tyle masz do powiedzenia?

Zabrzęczał interkom i dobiegł z niego kobiecy głos:

— Inspektorze Garland, laboratorium przysłało wyniki badań zwłok Polokova.

— Chyba powinniśmy tego wysłuchać — stwierdził Phil Resch.

Garland popatrzył na niego z wściekłością. Potem pochylił się i nacisnął guzik interkomu:

— Proszę to przeczytać, panno French.

— Badanie szpiku kostnego — powiedziała panna French — wykazało, że Polokov był humanoidalnym robotem. Czy chce pan szczegółową...

— Nie, to wystarczy. — Garland opadł z powrotem na fotel i ponuro zapatrzył się na przeciwległą ścianę. Nie odezwał się ani do Ricka, ani do Rescha.

— Na czym opiera się pański test Voigta-Kampffa, panie Deckard? — zapytał Phil Resch.

— Reakcja empatyczna. W rozmaitych sytuacjach społecznych. Pytania najczęściej dotyczą zwierząt.

— Nasz jest chyba prostszy — stwierdził Resch. — U humanoidalnych robotów reakcje zachodzące w zwojach nerwowych górnych partii rdzenia kręgowego trwają kilka mikrosekund dłużej niż w ludzkim układzie nerwowym. — Sięgnął przez biurko inspektora Garlanda, przyciągnął do siebie blok do notowania i szybko naszkicował coś długopisem. — Używamy sygnału dźwiękowego albo błysku świetlnego. Badany przyciska guzik i mierzony jest czas. Oczywiście próbę trzeba przeprowadzić kilkakrotnie. Czas reakcji jest różny u andków i u ludzi. Ale po dziesięciu pomiarach mamy już wiarygodną informację. I podobnie jak w pańskim przypadku z Polokovem, badanie szpiku kostnego potwierdza ocenę.

Zapadła cisza. Po chwili Rick odezwał się znowu:

— Może mnie pan zbadać. Jestem gotów. Oczywiście chciałbym również sprawdzić pana. Jeżeli się pan zgodzi.

— Z całą pewnością — odparł Resch, przyglądając się uważnie inspektorowi Garlandowi. — Od lat twierdzę — mruknął — że

funkcjonariuszy policji w rutynowym trybie powinno się pod-
dawać testowi reakcji Bonelego. Im są wyżsi rangą, tym lepiej.
Prawda, inspektorze?

— To pańskie prawo — odparł Garland. — Ja jednak zawsze się
temu sprzeciwiałem. Ponieważ obniżałoby to morale komendy.

— Sądzę — wtrącił się Rick — że po badaniach Polokova wy-
konanych przez pańskie laboratorium będzie pan musiał ustąpić.

Rozdział XI

— Chyba tak — odparł Garland i oskarżycielsko wyciągnął palec w stronę Phila Rescha. — Ostrzegam cię. Wyniki testów na pewno ci się nie spodobają.

— Wie pan, jakie będą? — zapytał Resch z wyraźnym zdziwieniem. Nie wyglądał na zadowolonego.

— Niemal w najdrobniejszym szczególe — stwierdził inspektor.

— Dobrze. Pójdę na górę i przyniosę aparaturę Bonelego. — Resch skinął głową. Podszedł do drzwi gabinetu, otworzył je i wyszedł na korytarz. — Wrócę za trzy—cztery minuty — powiedział do Ricka. Drzwi zatrzasnęły się za nim.

Inspektor Garland sięgnął do prawej górnej szuflady biurka, poszperał w niej chwilę i wyciągnął pistolet laserowy. Przez chwilę obracał go w ręku, w końcu skierował lufę w stronę Ricka.

— To bez znaczenia — rzekł Deckard. — Resch zleci badanie moich zwłok, takie samo, jakie pańskie laboratorium przeprowadziło na Polokovie. I dalej będzie nalegał na poddanie pana i jego samego testowi reakcji Bonelego.

Pistolet laserowy nie poruszył się. Wreszcie drgnął, gdy inspektor Garland powiedział:

— To od początku był paskudny dzień. Szczególnie gdy zobaczyłem, że posterunkowy Crams przyprowadził tu pana. Miałem niedobre przeczucia i dlatego się wtrąciłem.

Stopniowo opuszczał lufę lasera. Przez chwilę siedział z bronią w ręku, aż w końcu wzruszył ramionami, włożył pistolet do szuflady, zamknął ją i schował klucz do kieszeni.

— Jakie będą wyniki naszych testów? — zapytał Rick.

— Ten cholerny głupiec Resch... — rzekł Garland.

— Rzeczywiście nic nie wie?

— Nie. Nie wie, nie podejrzewa, nie ma najmniejszego pojęcia. W przeciwnym razie nie mógłby być łowcą — to przecież zajęcie dla ludzi, nie dla androidów. — Garland wskazał walizeczkę Ricka. — A jeśli chodzi o zlecenia na innych podejrzanych, których ma pan sprawdzić i usunąć, znam ich wszystkich. — Przerwał i po chwili dodał: — Przylecieliśmy z Marsa razem, tym samym statkiem. Ale nie Resch. Zatrzymał się tydzień dłużej, instalowali mu układ syntetycznej pamięci.

Garland umilkł.

— Co zrobi, kiedy się dowie? — zapytał Rick.

— Nie mam bladego pojęcia — odparł obojętnie Garland. — Z abstrakcyjnego, intelektualnego punktu widzenia może to być ciekawe zagadnienie. Może zabić mnie, siebie, również pana. Może zabić każdego, kogo zdoła — zarówno człowieka, jak i androida. Wiem, że gdy w grę wchodzi syntetyczna pamięć, takie rzeczy się zdarzają. Kiedy ktoś myśli, że jest człowiekiem.

— A więc instalowanie sztucznej pamięci wiąże się z ryzykiem.

— Zawsze jest ryzyko — powiedział Garland — kiedy się uwalniamy i uciekamy tu, na Ziemię, gdzie się nas nie uważa nawet za zwierzęta. Gdzie każdy robak i pluskwa drzewna są o wiele milej widziane niż my wszyscy razem wzięci. — Garland z poirytowaniem skubał dolną wargę. — Moim zdaniem byłby pan w o wiele lepszym położeniu, gdyby Phil Resch przeszedł test Bonelego. Dzięki temu rezultat byłby łatwy do przewidzenia. Dla Rescha byłbym po prostu kolejnym andkiem, którego należy jak najszybciej usunąć. Ale pańska sytuacja, Deckard, wcale nie jest taka dobra. Prawdę mówiąc, jest prawie równie zła jak moja. Wie pan, w którym momencie popełniłem błąd? Nie wiedziałem o Polokovie. Chyba przyleciał wcześniej — najwyraźniej tak musiało być — z zupełnie inną grupą i wcale się nie kontaktował z naszą. Kiedy przyjechałem, był już doskonale ulokowany w WOP. Zaryzykowałem z badaniami laboratoryjnymi, choć nie powinienem. Oczywiście Crams podjął to samo ryzyko.

— Polokov omal nie wykończył i mnie — powiedział Rick.

— Tak, w nim coś było. Nie wydaje mi się, by miał ten sam typ układu mózgowego co my. Musiał być podrasowany albo pracować na doładowaniu — to była jakaś zmieniona struktura, nie znana nawet nam. I bardzo dobra. Niemal wystarczająco dobra.

— Kiedy zadzwoniłem do domu, dlaczego nie odebrała moja żona? — zapytał Rick.

— Wszystkie nasze linie wideofoniczne są zapętlone. Przerzucają połączenia do innych gabinetów w obrębie tego budynku. Działamy tu w homeostatycznej strukturze, Deckard. Jesteśmy zamkniętą zbiorowością, odseparowaną od reszty mieszkańców San Francisco. Wiemy o nich, ale oni nie wiedzą o nas. Czasami ktoś tu zabłądzi albo, jak pan, zostanie tu przyprowadzony — dla naszego bezpieczeństwa. — Wykonał konwulsyjny ruch ręką w stronę drzwi gabinetu. — Oto wraca nasz nadgorliwy Phil Resch ze swoim przenośnym zestawem testowym. Czyż nie jest sprytny? Zniszczy swoje życie, moje, a bardzo możliwe, że i pańskie.

— Wy, androidy — stwierdził Rick — w trudnych chwilach niezbyt dbacie jeden o drugiego.

— Chyba ma pan rację — warknął Garland. — Wygląda na to, że brakuje nam pewnej szczególnej umiejętności, którą macie wy, ludzie. Zdaje się, że to się nazywa empatia.

Otworzyły się drzwi gabinetu i stanął w nich Phil Resch. Trzymał w rękach urządzenie ze zwisającymi przewodami.

— Już jestem — oznajmił, zamykając drzwi za sobą. Usiadł i podłączył aparaturę do kontaktu.

Garland podniósł prawą rękę i wyciągnął ją w stronę Phila Rescha. Łowca i Rick Deckard zwalili się z krzeseł na podłogę. Jednocześnie Resch wyszarpnął pistolet laserowy i padając, wystrzelił.

Promień lasera wymierzony z precyzją będącą skutkiem lat treningu przepalił głowę Garlanda. Inspektor pochylił się, a z jego dłoni wypadł i potoczył się po biurku mikrolaser. Martwe ciało zakołysało się w fotelu i w końcu, jak worek kartofli, przechyliwszy się na bok, z hukiem upadło na podłogę.

— Zapomniałem — powiedział Resch, wstając — że to moja praca. Niemal mogę przepowiedzieć, jakie android ma zamiary. Pan pewnie też. — Schował pistolet, pochylił się i z zaciekawieniem obejrzał zwłoki byłego przełożonego. — Co panu powiedział, gdy mnie tu nie było?

— Że on... to... że jest androidem. I że pan... — Rick przerwał. Obwody jego mózgu szumiały, obliczały i wybierały; zmienił drugą część zdania. — ...to odkryje. Za parę minut.

— Coś jeszcze?

— Że ten budynek jest pełen androidów.

— Trudno nam będzie się stąd wydostać — rzekł z namysłem Resch. — Zasadniczo mam jednak prawo wychodzić, kiedy zechcę. I zabrać ze sobą zatrzymanego. — Nasłuchiwał przez chwilę, ale zza drzwi gabinetu nie dobiegł żaden dźwięk. — Chyba nikt nic nie usłyszał. Najwidoczniej nie ma tu żadnego podsłuchu rejestrującego wszystko... choć powinien być. — Delikatnie trącił androida czubkiem buta. — To doprawdy niezwykłe, jak wielkie umiejętności parapsychiczne człowiek sobie wyrabia w tej pracy. Zanim jeszcze otworzyłem drzwi gabinetu, wiedziałem, że do mnie strzeli. Mówiąc szczerze, jestem zaskoczony, że pana nie zabił, kiedy byłem na górze.

— Niemal to zrobił — odparł Rick. — Przez większość czasu trzymał mnie pod lufą lasera dużej mocy. Zastanawiał się nad tym. Ale to pan go niepokoił, nie ja.

— Kiedy łowca ściga, android ucieka — stwierdził bez cienia wesołości Resch. — Zdaje pan sobie sprawę, rzecz jasna, że musi pan wrócić do opery i zdjąć Lubę Luft, zanim ktokolwiek stąd będzie miał szansę ją ostrzec i powiadomić, co się stało. Właściwie powinienem powiedzieć „ostrzec t o". Czy pan myśli o nich jak o przedmiotach?

— Kiedyś tak — przyznał Rick. — Gdy miałem wyrzuty sumienia z powodu tej pracy. Broniłem się, myśląc tak o nich, ale dziś ta sztuczka już mi nie jest potrzebna. Dobrze, polecę prosto do opery. Zakładając, że zdoła mnie pan stąd wydostać.

— Posadzimy Garlanda przy biurku — zaproponował Resch. Przeciągnął ciało androida z powrotem na fotel i ułożył kończyny tak, że pozycja ciała wydawała się w miarę naturalna — chyba że ktoś przyjrzałby mu się z bliska. Jeżeli nikt nie wejdzie do gabinetu, będą bezpieczni. Phil Resch przycisnął guzik interkomu i powiedział:

— Inspektor Garland prosi, żeby przez najbliższe pół godziny nie łączyć z nim nikogo. Nie można mu przeszkadzać w pracy.

— Tak jest, panie Resch.

Phil Resch zwolnił przycisk interkomu i odezwał się do Ricka:

— Na czas, kiedy będziemy w budynku, muszę panu założyć kajdanki. Gdy wystartujemy, oczywiście pana uwolnię. — Wyjął kajdanki i zatrzasnął jedną obrączkę na przegubie Ricka, a drugą na swoim. — No dobrze, chodźmy, miejmy to już za sobą. — Wyprostował się, nabrał wielki haust powietrza i otworzył drzwi.

Umundurowani policjanci stali lub siedzieli wszędzie naokoło, zajęci rutynową codzienną pracą. Nikt na nich nie spojrzał ani nie zwrócił uwagi, że Phil Resch prowadzi Ricka przez hol.

— Obawiam się — rzekł Resch, kiedy czekali na windę — że Garland ma zainstalowany czujnik informujący o jego śmierci. Ale... — wzruszył ramionami — jeśli miałby zadziałać, to właśnie teraz. W przeciwnym razie nie będzie to miało sensu.

Podjechała winda. Wysiadło z niej kilkoro policjantów i policjantek, którzy stukając obcasami, ruszyli przez hol do jakichś swoich zajęć. Nie zwrócili najmniejszej uwagi na Ricka i Rescha.

— Jak pan sądzi, czy wasza komenda mnie przyjmie? — zapytał Resch, gdy zasunęły się drzwi windy. Wcisnął guzik z napisem „Dach" i winda cicho ruszyła do góry. — W końcu jestem teraz bez pracy.

— Cóż, nie widzę powodu, aby mieli odmówić — odparł ostrożnie Rick. — Problem polega na tym, że mamy już dwóch łowców.

Będę musiał mu powiedzieć, pomyślał. Jeżeli tego nie zrobię, zachowam się nieetycznie i okrutnie. Panie Resch, jest pan androidem, powiedział w myśli. Wydostał mnie pan stąd i oto pańska nagroda. Jest pan tym, czego obaj nienawidzimy. Kwintesencją tego, co obaj postanowiliśmy zniszczyć.

— Nie mogę się z tym pogodzić — mówił Phil Resch. — Wciąż wydaje mi się to niemożliwe. Przez trzy lata pracowałem pod kierownictwem androidów. Dlaczego nic nie podejrzewałem?

— Może nie trwało to tak długo. Może dopiero niedawno opanowały ten budynek.

— Siedziały tu przez cały czas. Garland był moim przełożonym od samego początku, pełne trzy lata.

— Według tego, co powiedział Garland — rzekł Deckard — cała grupa przybyła na Ziemię razem. I nie było to przed trzema laty, ale zaledwie kilka miesięcy temu.

— A więc swego czasu istniał prawdziwy Garland — stwierdził Phil Resch. — I w którymś momencie został podmieniony. — Na jego drapieżnej twarzy pojawił się grymas, gdy powoli zaczął do niego docierać sens ich rozmowy. — Albo wprowadzono mi fałszywą pamięć. Może przez cały czas pamiętam tylko Garlanda, ale... — Jego wykrzywiona narastającym cierpieniem twarz drgała spazmatycznie. — Tylko androidy mają układ fałszywej pamięci. Okazało się, że u ludzi jest całkowicie nieskuteczny.

Winda przestała się wznosić. Rozsunęły się drzwi i przed nimi ukazało się zapełnione pustymi maszynami lądowisko na dachu komendy policji.

— To mój hover — oznajmił Phil Resch, otwierając drzwiczki stojącej nie opodal maszyny, i gestem ręki zaprosił Ricka do środka. Sam usiadł za kierownicą i zapuścił silnik. Po chwili wzbili się w niebo i zakręciwszy na północ, polecieli w stronę opery. Zamyślony Phil Resch sterował odruchowo. Coraz bardziej pochłaniały go ponure domysły.

— Posłuchaj pan, Deckard — odezwał się nagle. — Kiedy już usuniemy Lubę Luft… Chcę, żeby pan… — Jego stłumiony, udręczony głos załamał się. — Wie pan. Niech pan przeprowadzi ze mną test Bonelego albo swój empatyczny. Żeby mnie sprawdzić.

— Będziemy się tym martwić później — odparł wymijająco Rick.

— Nie chce pan, żebym się poddawał testom, prawda? — Phil Resch spojrzał na niego z nagłym zrozumieniem. — Przypuszczam, że pan wie, jakie będą wyniki. Garland musiał coś panu powiedzieć. Podać jakieś informacje, których nie znam.

— Nawet nam obu trudno będzie się uporać z Lubą Luft — rzekł Rick. — W każdym razie ja sam nie dam sobie z nią rady. Na razie lepiej skupmy się na tym.

— To nie tylko struktury fałszywej pamięci — powiedział Phil Resch. — Mam zwierzę. Nie pseudozwierzę, ale prawdziwe. Wiewiórkę. Kocham ją, Deckard. Każdego cholernego ranka karmię ją i zmieniam jej papier — wie pan, czyszczę klatkę, a kiedy wracam wieczorem z pracy, wypuszczam ją i wtedy biega po całym mieszkaniu. Ma w klatce młynek. Widział pan, jak wiewiórka biega w takim młynku? Biegnie, młynek się obraca, ale wiewiórka wciąż jest w jednym miejscu. Ale Buffy chyba to lubi.

— Myślę, że wiewiórki nie są zbyt bystre — stwierdził Rick.

Lecieli dalej w milczeniu.

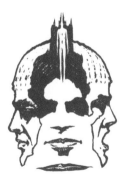

Rozdział XII

Ricka Deckarda i Phila Rescha poinformowano w operze, że próba już się skończyła, a Luba Luft wyszła.

— Czy powiedziała, dokąd się wybiera? — zapytał Resch inspicjenta, pokazując legitymację policyjną.

— Do muzeum — odparł mężczyzna, uważnie oglądając dokument. — Powiedziała, że chce zobaczyć wystawę Edvarda Muncha. Jutro się kończy.

A Luba Luft, pomyślał Rick, kończy się dzisiaj.

Gdy szli chodnikiem, kierując się ku muzeum, Phil Resch zapytał:

— Jakie, według ciebie, mamy szanse? Na pewno uciekła. Nie znajdziemy jej tam.

— Możliwe — odparł Rick.

Weszli do budynku, dowiedzieli się, na którym piętrze jest wystawa Muncha, i wjechali tam windą. Po chwili błądzili już pośród obrazów i drzeworytów. Wystawę zwiedzało wiele osób, w tym również wycieczka uczniów szkoły podstawowej. Przenikliwy głos nauczycielki słychać było we wszystkich salach. Rick pomyślał: wyobrażamy sobie, że andek tak właśnie mówi i wygląda. Nie jak Rachael Rosen czy Luba Luft. A także tamten człowiek obok niego. Albo raczej to coś obok niego.

— Słyszałeś kiedyś, żeby andek trzymał jakieś domowe zwierzę? — zapytał Phil Resch.

Z jakichś niezrozumiałych powodów Rick uznał, że musi być brutalnie szczery. Może nieświadomie chciał się w ten sposób przygotowywać do zadania.

— W dwóch znanych mi wypadkach andki miały zwierzęta i opiekowały się nimi. Ale to rzadkość. Z tego, co wiem, wynika, że zazwyczaj im się to nie udaje. Andek nie potrafi utrzymać zwierzęcia przy życiu. Zwierzęta potrzebują emocjonalnego ciepła. Oczywiście poza owadami i gadami.

— Czy wiewiórka by go potrzebowała? Takiej atmosfery miłości? Buffy czuje się świetnie, futerko ma gładkie i lśniące. Zajmuję się nią i szczotkuję codziennie.

Resch stanął przed jednym z olejów i przyjrzał mu się uważnie. Na płótnie widniała bezwłosa, umęczona istota o głowie przypominającej odwróconą gruszkę. Z przerażeniem zasłaniała dłońmi uszy, a jej usta otwarte były w przeraźliwym, bezgłośnym krzyku. Poskręcane fale cierpienia, echo wrzasku wypełniały powietrze, które ją otaczało. Istota — nie wiadomo, mężczyzna czy kobieta — zamknięta była we własnym krzyku. Zasłaniała uszy, aby nie słyszeć samej siebie. Stała na moście, dokoła nie było nikogo. Krzyczała w pustce. Odizolowana przez krzyk, a może pomimo niego.

— Zrobił na podstawie tego drzeworyt — powiedział Rick, od-
czytując tabliczkę umieszczoną pod obrazem.

— Myślę, że tak właśnie musi czuć się andek — rzekł Resch.
Nakreślił dłonią zawirowania powietrza, tak wyraźnie widoczne
na obrazie.

— Ja nie mam takiego wrażenia, może więc nim nie jestem... —
Umilkł, kiedy do obrazu podeszło kilka osób.

— Tam jest Luba Luft — powiedział Rick i wskazał śpiewaczkę.

Resch przerwał posępne rozważania i próby obrony. Ruszyli
miarowym krokiem w stronę artystki. Szli bez pośpiechu, jakby
zajmowało ich wyłącznie zwiedzanie. Musieli zachowywać się
zupełnie zwyczajnie. Ludzi nieświadomych, że są wśród nich
androidy, musieli chronić za wszelką cenę — nawet zgubienia
ściganego obiektu.

Ubrana w obcisłe, lśniące spodnie i złoty, haftowany żakiet
przypominający nieco kamizelkę Luba Luft stała z katalogiem
w dłoni i wpatrywała się w wiszący przed nią rysunek. Przedstawiał młodą dziewczynę siedzącą ze złożonymi rękami na
krawędzi łóżka. Na jej twarzy malowało się zaskoczenie i lęk,
który dopiero co musiał ją ogarnąć.

— Chce pani, żebym go dla pani kupił? — spytał Rick Lubę Luft. Stał tuż obok niej, ujął ją lekko powyżej łokcia. Tym
leniwym uściskiem dawał jej do zrozumienia, że wie, iż ma
przewagę, i wcale nie musi uciekać się do siły, aby ją zatrzymać.
Z drugiej strony Phil Resch położył dłoń na jej ramieniu i Rick
dostrzegł jego pistolet laserowy. Po sprawie inspektora Garlanda
nie miał zamiaru ryzykować.

— Nie jest na sprzedaż. — Początkowo obojętny wzrok Luby
Luft zmienił się gwałtownie, gdy rozpoznała Ricka. Twarz jej
pobladła i wyglądała jak u trupa dotkniętego natychmiastowym

rozkładem. Zupełnie jakby życie cofnęło się gdzieś do najgłębszych zakątków jej wnętrza, oddając całe ciało we władanie automatycznych odruchów.

— Myślałam, że pana aresztowano — powiedziała. — Dlaczego pana zwolnili?

— Panno Luft — rzekł — przedstawiam pani Phila Rescha. Phil, to jest znana śpiewaczka operowa Luba Luft. Ten mundurowy — zwrócił się do niej — był androidem. Tak jak jego przełożony. Czy pani zna, a raczej czy znała pani inspektora Garlanda? Powiedział mi, że przybyliście tu jednym statkiem, w tej samej grupie.

— Posterunek policji, do którego pani zadzwoniła — dodał Resch — znajdujący się w budynku przy Mission, stanowi centrum organizacyjne, za którego pośrednictwem wasza grupa utrzymuje łączność. Poczuli się tam tak pewnie, że zatrudnili człowieka na stanowisku łowcy. Najwidoczniej...

— Ciebie? — przerwała mu Luba Luft. — Nie jesteś człowiekiem. Nie bardziej niż ja. Też jesteś androidem.

Przez chwilę panowało milczenie. Wreszcie Resch odezwał się stłumionym, ale opanowanym głosem:

— No cóż, rozstrzygniemy ten problem we właściwym czasie. — A potem zwrócił się do Deckarda. — Zabierzmy ją do mojego hovera.

Skierowali się w stronę windy. Luba Luft szła między nimi z ociąganiem, ale nie stawiała oporu. Sprawiała wrażenie zrezygnowanej. Rick spotkał się już z takimi reakcjami androidów. Ożywiające je siły witalne zdawały się zamierać, jeżeli presja stawała się zbyt silna... W każdym razie u niektórych. Ale nie u wszystkich.

Niektóre niespodziewanie wybuchały znowu wściekłą energią.

Wiedział jednak, że androidy starają się unikać podejrzanych zachowań. W muzeum, pośród wielu osób, Luba Luft raczej nie podejmie żadnych działań. Prawdziwe starcie — dla niej zapewne ostatnie — nastąpi w hoverze, gdzie nie będzie żadnych świadków. Gdy znajdzie się sama, z oszałamiającą gwałtownością może odrzucić wszelkie hamulce. Przygotował się i pozbył wszelkich myśli o Reschu. Jak stwierdził sam Phil, ten problem zostanie rozwiązany we właściwym czasie.

W samym końcu korytarza, przy windzie, stał niewielki kiosk, w którym sprzedawano albumy i grafiki. Luba zatrzymała się przy nim.

— Niech pan posłucha — zwróciła się do Ricka. Na twarz wróciły jej kolory i w tej chwili znowu sprawiała wrażenie, że żyje. — Proszę mi kupić reprodukcję obrazu, przed którym stałam. Tego z dziewczyną siedzącą na łóżku.

Rick zastanowiwszy się chwilę, zwrócił się do sprzedawczyni w średnim wieku, kobiety o obwisłych policzkach i siwych włosach ujętych w siatkę.

— Czy ma pani odbitkę *Dojrzewania* Muncha?

— Tylko w albumowym wydaniu jego prac — odpowiedziała, biorąc do ręki elegancki tom w lakierowanej obwolucie. — Kosztuje dwadzieścia pięć dolarów.

— Wezmę go. — Sięgnął po portfel.

— Księgowość posterunku nigdy w życiu nie pokryje... — wtrącił się Resch.

— To moje prywatne pieniądze — odparł Rick. Podał sprzedawczyni banknoty, a Lubie książkę. — Teraz zjedźmy na dół — zwrócił się do niej i Rescha.

— To bardzo miłe z pana strony — powiedziała, gdy znaleźli się w windzie. — W ludziach jest coś dziwnego i wzruszającego.

Android nigdy by tego nie zrobił. — Rzuciła lodowate spojrzenie na Rescha. — Nie przyszłoby mu to do głowy. Nigdy w życiu, jak sam powiedział. — Spojrzała na Phila z narastającą wrogością i odrazą. — Prawdę mówiąc, nie lubię androidów. Odkąd przybyłam tu z Marsa, moje życie polegało na naśladowaniu ludzi, robieniu tego co oni, reagowaniu w taki sposób, jakbym miała ludzkie myśli i odruchy. Według mnie naśladowałam wyższą formę życia. Czy z tobą nie jest tak samo? — zwróciła się do Rescha. — Usiłujesz być...

— Nie zniosę tego. — Resch sięgnął do kieszeni płaszcza.

— Nie! — zawołał Rick, usiłując schwycić go za rękę, Resch jednak cofnął się, robiąc unik. — Test Bonelego.

— To przyznało, że jest androidem — odparł. — Nie musimy zwlekać.

— Ale chcesz to usunąć — stwierdził Rick — tylko dlatego, że ci dokucza. Oddaj mi broń. — Spróbował odebrać blaster Reschowi, ale bez skutku. Łowca cofał się pod ścianami ciasnej kabiny windy, wymykając się Rickowi, i ani na chwilę nie spuszczał oczu z Luby Luft.

— Dobrze — oznajmił nagle Rick. — Usuń to, zabij natychmiast. Udowodnij, że ma rację. — I nagle zorientował się, że Resch rzeczywiście chce to zrobić. — Poczekaj...

Phil strzelił i w tej samej chwili Luba Luft w paroksyzmie strachu ściganego zwierzęcia odwróciła się gwałtownie i pochyliła. Promień lasera chybił, ale gdy Resch obniżył lufę, bezgłośnie wypalił dziurę w jej brzuchu. Zaczęła krzyczeć. Leżała skulona pod ścianą kabiny i krzyczała. Jak na obrazie, pomyślał Rick i dobił ją z własnego lasera. Ciało Luby Luft upadło bezwładnie na twarz. Nawet nie drgnęło.

Rick laserem spalił na popiół album, który przed paroma

minutami jej ofiarował. Resch patrzył, nic nie rozumiejąc. Na jego twarzy wyraźnie malowało się zdziwienie.

— Przecież mogłeś zatrzymać książkę — powiedział wreszcie. — Kosztowała cię...

— Czy sądzisz, że androidy mają duszę? — przerwał mu Rick.

Resch przechylił głowę na bok i spojrzał na niego z jeszcze większym zaskoczeniem.

— Stać mnie na album — oznajmił Rick. — Jak dotąd zarobiłem dziś trzy tysiące dolarów i nawet nie jestem w połowie listy.

— Chcesz zgłosić Garlanda? — zapytał Resch. — Ale to ja go zabiłem, nie ty. Tylko leżałeś, nic więcej. Lubę też ja usunąłem.

— Nie możesz pobrać nagrody — stwierdził Rick. — Ani w naszym posterunku, ani w swoim. Kiedy znajdziemy się w twoim hoverze, poddam cię testowi Bonelego lub Voigta-Kampffa i wtedy zobaczymy. Nawet jeżeli nie ma cię na mojej liście. — Trzęsącymi się rękami otworzył walizeczkę i zaczął grzebać w pogniecionych przebitkowych kopiach. — Nie. Nie mam cię na niej. A więc zgodnie z przepisami nie mogę wystąpić o nagrodę za ciebie. Żeby cokolwiek zarobić, muszę zgłosić Garlanda i Lubę Luft.

— Masz pewność, że jestem androidem? Że Garland mówił prawdę?

— Tak twierdził.

— Może kłamał — zaprotestował Resch. — Chciał nas poróżnić. Tak jak teraz. Jesteśmy szaleni, pozwalając, żeby nas skłócili. Miałeś całkowitą rację w sprawie Luby Luft. Nie powinienem był dać się sprowokować. Jestem pewnie przewrażliwiony. Ale to chyba normalne u łowcy, jesteś taki sam. Posłuchaj, przecież i tak musielibyśmy usunąć Lubę Luft za jakieś pół godziny — zaledwie za pół godziny! Nawet nie zdążyłaby obejrzeć albumu, który jej dałeś. I powiem ci, w dalszym ciągu uważam, że nie powinieneś był go niszczyć. Przecież to marnotrawstwo. Nie mogę pojąć twoich motywów. Przecież są nielogiczne.

— Wycofuję się z tego interesu — oświadczył Rick.

— I co będziesz robił?

— Cokolwiek. Będę agentem ubezpieczeniowym, takim, jakim rzekomo był Garland. Albo wyemigruję. Tak. — Skinął głową. — Przeniosę się na Marsa.

— Ktoś jednak musi to robić — zauważył Resch.

— Mogą użyć do tego androidów. Byłoby o wiele lepiej, gdyby robiły to same andki. Ja mam już dość. Była cudowną śpiewaczką. Przydałaby się tutaj. Przecież to szaleństwo.

— To konieczność. Pamiętaj, że aby się tutaj dostać, zabijali ludzi. A gdybym cię nie wyciągnął z posterunku przy Mission, zabiliby i ciebie. Garland tego właśnie ode mnie chciał i dlatego kazał mi przyjść do gabinetu. Czy Polokov omal cię nie zabił? Czy prawie nie udało się to Lubie Luft? My się tylko bronimy. To oni są obcymi, zabójcami podającymi się…

— Za policjantów — powiedział Rick. — Za łowców…

— W porządku, zrób mi test Bonelego. Może Garland jednak kłamał. Sądzę, że tak. Sztuczna pamięć nie może być aż tak dobra. A co z moją wiewiórką?

— Ach tak, twoja wiewiórka. Zapomniałem o niej.

— Jeżeli okażę się andkiem — rzekł Phil Resch — i mnie zabijesz, możesz sobie wziąć moją wiewiórkę. Poczekaj. Zaraz ci ją zapiszę.

— Andki nie mogą nic zapisać. Nie mogą nic posiadać, a więc i nie mogą tego oddać.

— No to po prostu ją sobie weź.

— Może tak zrobię. — Winda zjechała już na parter i otworzyły się drzwi. — Zostań z Lubą. Wezwę wóz patrolowy, żeby zawiózł ją do Pałacu Sprawiedliwości na test szpiku kostnego. — Zobaczył budkę telefoniczną i wszedł do niej. Wrzucił monetę do aparatu i trzęsącymi się palcami wybrał numer. W tym czasie grupa czekających na windę skupiła się wokół Phila Rescha i ciała Luby Luft.

Była naprawdę wspaniałą śpiewaczką, pomyślał, odwieszając słuchawkę po rozmowie. Nie rozumiem, jak taki talent mógłby stanowić zagrożenie dla naszego społeczeństwa? Ale to nie talent stanowił zagrożenie, lecz ona sama. Podobnym zagrożeniem jest Phil Resch, pomyślał. Z tego samego powodu. Nie mogę więc porzucić pracy. Wyszedł z budki telefonicznej i przecisnął się między ludźmi, wracając do łowcy i leżącej dziewczyny androida. Ktoś nakrył ją płaszczem. Na pewno nie Phil.

Rick podszedł do Rescha, który stał na uboczu, łapczywie zaciągając się dymem małego, szarego cygara.

— Mam nadzieję, że test wykaże, iż jesteś androidem — powiedział.

— Naprawdę mnie nienawidzisz — odparł ze zdziwieniem Resch. — Tak nagle i niespodziewanie. A przecież nie nienawidziłeś mnie wtedy przy Mission Street. Kiedy uratowałem ci życie.

— Przyjrzałem się, jak działasz. Widziałem, jak zabiłeś Garlanda, a potem Lubę. Nie robisz tego jak ja, nie próbujesz… Do diabła — rzucił — wiem, o co chodzi. Lubisz zabijać. Potrzebujesz tylko jakiegoś pretekstu. Gdybyś go miał, zabiłbyś i mnie. Dlatego właśnie uznałeś, że Garland może być androidem — dzięki temu mogłeś go zlikwidować. Zastanawiam się, co zrobisz, gdy się okaże, że nie przeszedłeś testu Bonelego. Zabijesz się? Czasem androidy tak postępują. — Ale rzadko, pomyślał.

— Tak, sam to załatwię — stwierdził Resch. — Będziesz musiał tylko przeprowadzić test, nic poza tym.

Przyjechał wóz patrolowy, z którego wyskoczyło dwóch policjantów. Zobaczyli tłumek i natychmiast utorowali sobie przezeń drogę. Jeden z nich poznał Deckarda i skinął mu głową. A więc możemy już jechać, uświadomił sobie Rick. Zakończyliśmy sprawy w tym miejscu. Ostatecznie.

Gdy szli obaj w stronę gmachu opery, na której dachu stał hover, Resch powiedział:

— Oddam ci teraz mój laser. Nie musisz się więc martwić moją reakcją na test. I o swoje bezpieczeństwo.

— Jak się bez niego zabijesz? — spytał Rick. — Jeżeli nie przejdziesz testu.

— Wstrzymam oddech.

— Chryste — westchnął Rick. — To niemożliwe.

— Androidy nie mają odruchu odłączenia nerwu błędnika — wyjaśnił Resch. — W przeciwieństwie do ludzi. Nie uczono cię o tym na szkoleniu? Ja przerabiałem to wiele lat temu.

— Ale umrzeć w taki sposób... — zaprotestował Rick.

— Przecież to bezbolesne. O co ci chodzi?

— To... — Rick zrobił nieokreślony gest. Nie mógł znaleźć słów.

Wjechali na dach opery, gdzie Resch zaparkował hovera.

Wsunął się za kierownicę i zamknął drzwi.

— Wolałbym, żebyś poddał mnie testowi Bonelego — powiedział.

— Nie mogę, nie wiem, jak obliczyć wyniki. — Musiałbym się zdać na ciebie przy interpretacji odczytu, pomyślał. A to nie wchodzi w grę.

— Powiesz mi prawdę? — zapytał Resch. — Jeśli się okaże, że jestem androidem, powiesz mi?

— Oczywiście.

— Ja naprawdę muszę wiedzieć. Muszę. — Resch znów zapalił

cygaro i przez chwilę wiercił się w fotelu, szukając odpowiedniej pozycji. Wyraźnie mu się to nie udawało. — Czy rzeczywiście podobał ci się obraz, który oglądała Luba Luft? — spytał. — Bo mnie nie. Sztuka realistyczna mnie nie interesuje. Lubię Picassa i...

— *Dojrzewanie* powstało w 1894 — odparł sucho Rick. — Wtedy istniał tylko realizm. Musisz to brać pod uwagę.

— Ale ten drugi, na którym człowiek zasłania sobie uszy i krzyczy... On nie był reprezentatywny.

Rick otworzył walizeczkę i wyjął sprzęt.

— Skomplikowany — zauważył Resch, przyglądając się aparaturze. — Ile pytań będziesz musiał zadać, zanim dokonasz oceny?

— Sześć albo siedem. — Podał mu samoprzylepną poduszeczkę. — Przymocuj ją do policzka. Dokładnie. A to światło... — Naprowadził promień latarki. — Światło będzie skierowane na twoje oko. Nie poruszaj się. Postaraj się wyeliminować ruchy gałki ocznej.

— Wahania odruchowe — zauważył Resch — ale nie pod wpływem bodźców fizycznych. Nie mierzysz, na przykład, rozszerzenia źrenic. To będą reakcje na pytania — coś, co nazywamy drganiami mimowolnymi.

— Uważasz, że możesz je kontrolować?

— Niezupełnie. Może częściowo. Ale na pewno nie wstępną amplitudę — jest poza świadomą kontrolą. Gdyby nie... — Urwał gwałtownie. — Zaczynaj. Jestem spięty. Wybacz, jeżeli mówię za dużo.

— Mów, ile tylko chcesz — odparł Rick. Zagadaj się na śmierć, pomyślał. Jeśli masz ochotę. Mnie to nie przeszkadza.

— Jeżeli okażę się androidem — gadał Resch — odzyskasz wiarę w ludzką rasę. Ale ponieważ tak się nie stanie, lepiej będzie, jeżeli zaczniesz formułować koncepcję, która uwzględni...

— Zaczynam — przerwał mu Rick. Aparatura została zainstalowana i obie wskazówki dygotały lekko. — Ważny jest czas reakcji, odpowiadaj więc najszybciej, jak możesz. — Wybrał z pamięci wstępne pytanie. Zaczął się test.

Po wszystkim Rick przez jakiś czas siedział w milczeniu. Wreszcie zaczął zbierać sprzęt i wpychać go z powrotem do walizeczki.

— Domyślam się z wyrazu twojej twarzy — stwierdził Resch. Odetchnął spazmatycznie, czując absolutną, nieważką, niemal bolesną ulgę. — Dobrze. Możesz oddać mi broń. — Wyciągnął rękę dłonią ku górze i czekał.

— Najwidoczniej miałeś rację, kiedy mówiłeś o motywach Garlanda. Chciał nas skłócić. — Rick był wyczerpany fizycznie i psychicznie.

— Czy już sformułowałeś nową koncepcję? — zapytał Resch. — Taką, która uwzględniałaby mnie jako element ludzkiej rasy?

— W twoim empatycznym systemie odniesień jest defekt. Taki, którego się nie testuje. Twoje uczucia do androidów.

— Oczywiście, że tego się nie testuje.

— A może należałoby. — Nigdy dotąd o tym nie myślał. Nigdy też sam nie analizował swoich uczuć do androidów, które zabijał. Zawsze zakładał, że w głębi ducha, ale i świadomie, odbiera androida jako mądrą maszynę. Mimo to pojawiła się w nim pewna odmienność, coś, co różniło go od Phila Rescha. Instynktownie czuł, że ma rację. Empatia wobec sztucznego tworu? — zadał sobie pytanie. Wobec czegoś, co jedynie udaje życie? Ale Luba Luft sprawiała wrażenie kogoś, kto żyje naprawdę, nie było w niej nic wskazującego, że jedynie symuluje życie.

— Zdajesz sobie sprawę — spytał cicho Resch — co by się stało, gdybyśmy zaczęli współodczuwać z androidami? Tak jak ze zwierzętami?

— Nie moglibyśmy się bronić.

— Otóż to. Nexusy-6... wdeptałyby nas w ziemię. Ty i ja, wszyscy łowcy, odgradzamy ludzkość od Nexusa-6, stanowimy barierę rozgraniczającą dwa gatunki. Poza tym... — Przerwał, widząc, że Rick ponownie wyjmuje aparaturę pomiarową. — Myślałem, że już zakończyłeś test.

— Chcę zadać pytanie samemu sobie — odparł Rick. — I chciałbym, żebyś mi powiedział, jakie są odczyty wskaźników. Podaj mi tylko cyfry. Sam wszystko przeliczę. — Przylepił krążek do policzka i skierował promień latarki na oko. — Jesteś gotów? Patrz na wskazówki. Tym razem pominiemy czas reakcji. Chcę znać jedynie siłę.

— Nie ma sprawy, Rick — odparł usłużnie Resch.

— Jadę windą z androidem, którego schwytałem — zaczął mówić Deckard. — Nagle ktoś zabija go bez ostrzeżenia.

— Brak szczególnej reakcji — stwierdził Resch.

— Jaki był odczyt?

— Lewa wskazówka 2,8. Prawa 3,3.

— Android był kobietą.

— Teraz odczyt był 4,0 i 6,0.

— Dość wysoko — stwierdził Rick. Odlepił krążek od policzka i wyłączył latarkę. — To zdecydowanie empatyczna reakcja. Mniej więcej taka sama, jaką okazuje człowiek przy większości pytań. Oczywiście poza ekstremalnymi, dotyczącymi na przykład wykorzystania ludzkich skór do celów dekoracyjnych... naprawdę patologicznymi.

— Co oznacza?

— Jestem zdolny do empatii wobec określonych, konkretnych androidów — wyjaśnił Rick. — Nie wszystkich, ale jednego czy dwóch. — Na przykład Luby Luft, pomyślał. A więc myliłem się. W reakcjach Phila Rescha nie ma nic nienaturalnego czy nieludzkiego. Błąd jest we mnie.

Ciekawe, zastanawiał się, czy ktokolwiek żywił kiedyś takie uczucia do androida?

Oczywiście mogą się one już nigdy nie ujawnić w czasie mojej pracy. Prawdopodobnie wywołały je emocje związane z *Czarodziejskim fletem*. I głosem Luby Luft, jej całą karierą. Na pewno wcześniej nie miał podobnych objawów, w każdym razie nie zdawał sobie z nich sprawy. Na przykład przy Polokovie. Ani przy Garlandzie. Uświadomił sobie również, że gdyby Phil Resch okazał się androidem, usunąłby go bez żadnych emocji, w każdym razie po śmierci Luby Luft.

I tyle, jeżeli chodzi o różnice pomiędzy prawdziwą, żywą istotą a humanoidalnym wytworem. W windzie, przypomniał sobie, jechałem z dwoma osobami — człowiekiem i androidem… I moje uczucia były odwrotne, niż można by oczekiwać. Od tych, których zazwyczaj doznawałem… których powinienem doznawać.

— Masz problem, Deckard — oznajmił Resch. Wydawał się rozbawiony.

— Co… co powinienem zrobić? — spytał Rick.

— To seks — odparł Resch.

— Seks?

— Ponieważ ona… to było pociągające fizycznie. Nigdy ci się jeszcze nie zdarzyło? — Phil roześmiał się. — Uczono nas, że w zawodzie łowcy erotyzm staje się ważnym problemem. Nie wiedziałeś, Deckard, że w koloniach mają androidy kochanki?

— Przecież to nielegalne — stwierdził Rick, który znał odpowiednie przepisy prawne.

— Oczywiście, że tak. Ale większość odmian seksu jest nielegalna. A ludzie i tak się nimi bawią.

— A co z... nie seksem... ale miłością?

— Miłość to po prostu inna nazwa seksu.

— Jak miłość do kraju — dodał Rick. — Albo muzyki.

— Jeżeli chodzi o kobietę lub żeńskiego androida, jest to seks. Obudź się i spójrz prawdzie w oczy, Deckard. Miałeś ochotę iść do łóżka z żeńskim modelem androida — i nic poza tym. Raz przeżyłem coś takiego. Kiedy zaczynałem jako łowca. Nie pozwól, żeby cię to przytłoczyło. Wyjdziesz z tego. Kiedy zdarza się coś takiego, trzeba odwrócić kolejność postępowania. Nie należy jej zabijać ani patrzeć na jej śmierć i dopiero potem zacząć odczuwać fizyczny pociąg. Należy postąpić odwrotnie.

Rick spojrzał na niego i powiedział:

— Najpierw iść z nią do łóżka...

— ...a potem ją zabić — stwierdził beznamiętnie Resch. Na jego twarzy wciąż widniał twardy, cyniczny uśmiech.

Dobry z ciebie łowca, Resch, uświadomił sobie Rick. Potwierdzeniem jest to, jak traktujesz swój zawód. Ale czy ja też jestem dobrym łowcą?

Nagle, po raz pierwszy w życiu, zaczął mieć co do tego wątpliwości.

Rozdział XIII

John R. Isidore leciał do domu. Mknął przez wieczorne niebo jak smuga czystego ognia. Ciekawe, czy wciąż tam jest? — zastanawiał się. Czy siedzi w tym zachłamionym mieszkaniu, oglądając w telewizji Przyjacielskiego Bustera i dygocąc ze strachu za każdym razem, gdy się jej wydaje, że ktoś idzie korytarzem. Mam nadzieję, że mnie się nie boi, pomyślał.

Wcześniej zaszedł do czarnorynkowych delikatesów. Na siedzeniu obok niego stała papierowa torba z takimi frykasami jak galaretka sojowa, dojrzałe brzoskwinie i wspaniały, miękki, cuchnący kawałek sera. Torba kołysała się, gdy Isidore to przyśpieszał, to zwalniał. Był tak spięty, że prowadził nieuważnie. A jego rzekomo nareperowany pojazd krztusił się i opadał gwałtownie — tak samo jak przed przeglądem. Cholera, zaklął w duchu.

Woń brzoskwiń i dojrzałego sera wypełniała cały pojazd, rozkosznie drażniąc nozdrza Isidore. Na te wspaniałości przepuścił dwutygodniową pensję, którą wziął awansem u pana Sloata. A pod siedzeniem, gdzie nie mogła upaść i się stłuc, turlała się tam i z powrotem butelka chablis — luksus nad luksusami. Trzymał ją w depozycie w Bank of America i nie sprzedawał bez względu na to, jak wiele mu za nią proponowano, w nadziei, że kiedyś w końcu zjawi się jakaś dziewczyna. Czekał na próżno, aż do tej chwili.

Zaśmiecony pusty dach jego domu jak zawsze wprawił go w przygnębienie. Idąc z hovera do windy, patrzył przed siebie, nie spuszczając oka z niesionej torby. Ze wszystkich sił starał się nie potknąć o śmieci i nie spowodować haniebnej katastrofy finansowej. Kiedy wreszcie zjawiła się trzeszcząca winda, zjechał nią, ale nie na własne piętro, lecz na to, gdzie mieszkała nowa lokatorka, Pris Stratton. Stanął przed jej drzwiami i zastukał w nie butelką wina. Czuł, jak serce łomocze mu w piersi.

— Kto tam? — Jej głos stłumiły drzwi, mimo to był dobrze słyszalny. Przestraszony, ale ostry jak brzytwa.

— Tu J.R. Isidore — oznajmił żywo, stanowczym, zdecydowanym tonem, który pojawił się u niego dzięki rozmowie wideofonicznej, do której zmusił go pan Sloat. — Mam tu parę godnych uwagi drobiazgów i sądzę, że moglibyśmy zorganizować zupełnie przyzwoity obiad.

Drzwi uchyliły się nieco. Pris, prawie niewidoczna na tle ciemnego pokoju, wyjrzała na pusty korytarz.

— Twój głos brzmi zupełnie inaczej — powiedziała. — Bardziej dorośle.

— Miałem dzisiaj w pracy kilka spraw do załatwienia. Jak zawsze. Gdybym m-m-mógł wejść…

— Opowiedziałbyś mi o nich. — Otworzyła drzwi wystarczająco szeroko, aby go wpuścić. Kiedy zobaczyła, co ma w rękach, krzyknęła radośnie i jej twarz rozpromieniła się. Jednak niemal natychmiast, bez ostrzeżenia, rysy Pris stężały w grymasie pełnym goryczy. Radość uleciała.

— Co się stało? — zapytał. Zaniósł pakunki i butelkę do kuchni, a potem szybko wrócił do pokoju.

— Tylko je na mnie marnujesz — powiedziała bezbarwnym tonem.

— Dlaczego?

— Och... — Wzruszyła ramionami i odeszła kilka kroków. Ręce trzymała w kieszeniach ciężkiej, dość staroświeckiej spódnicy. — Kiedyś ci powiem. — Podniosła wzrok. — Mimo wszystko to miłe z twojej strony. A teraz chciałabym, żebyś sobie poszedł. Nie mam ochoty nikogo widzieć. — Takim samym, niepewnym krokiem skierowała się do drzwi. Powłóczyła nogami, sprawiając wrażenie całkowicie wyczerpanej, jakby opuściły ją niemal wszystkie siły.

— Wiem, co ci jest — powiedział.

— Tak? — zapytała, otwierając drzwi. Jej głos stał się jeszcze bardziej bezbarwny, głuchy i martwy.

— Nie masz żadnych przyjaciół. Jesteś w o wiele gorszej sytuacji niż ja, nim cię spotkałem dziś rano. To dlatego...

— Mam przyjaciół. — W jej głosie pojawiła się nieoczekiwana stanowczość. Może zaczęła odzyskiwać siły. — A raczej miałam. Siedmioro. Tak było na początku, ale łowcy mieli już czas zabrać się do dzieła. Tak więc niektórzy z moich przyjaciół — może nawet wszyscy? — nie żyją. — Podeszła do okna i spojrzała w mrok, w którym jaśniało ledwie kilka rozproszonych światełek. — Może zatem masz rację. Może tylko ja ocalałam z całej ósemki.

— Kim są ci łowcy?

— No tak. Ludzie nie powinni o nich wiedzieć. Łowca jest zawodowym mordercą, który dostaje listę ofiar do zlikwidowania, do zabicia. Otrzymuje określoną sumę — obecnie jest to, o ile wiem, tysiąc dolarów — za każdego zabitego. Zazwyczaj ma też podpisaną z miastem umowę o pracę i dzięki temu pobiera również pensję. Ale władze ustalają ją na bardzo niskim poziomie, żeby miał motywację do pracy.

— Jesteś pewna? — zapytał Isidore.

— Tak. — Skinęła głową. — Chodzi ci o to, czy jestem pewna, że ma bodziec do zabijania? Owszem, ma. Uwielbia to.

— Myślę, że się mylisz — powiedział Isidore.

Nigdy w życiu nie słyszał o czymś podobnym. Na przykład Przyjacielski Buster nawet się o tym nie zająknął.

— Przecież to nie zgadza się z obecną, mercerańską etyką — zauważył. — „Każde życie jest nasze", „Żaden człowiek nie jest samotną wyspą", jak powiedział dawno temu Szekspir.

— John Donne.

Isidore gestykulował z podnieceniem.

— To najgorsza rzecz, jaką kiedykolwiek słyszałem. Czy nie możesz zawiadomić policji?

— Nie.

— To ciebie ścigają? Mogą tu przyjść i cię zabić? — Teraz rozumiał tajemnicze zachowanie dziewczyny. — Nic dziwnego, że jesteś taka przestraszona i nie chcesz nikogo widzieć. — Ale pomyślał: To muszą być urojenia. Może wynik uszkodzenia mózgu przez pył. Może jest specjalem. — Ja ich pierwszy załatwię — oznajmił.

— Czym? — Uśmiechnęła się lekko, odsłaniając drobne, równe, białe zęby.

— Wystąpię o pozwolenie na pistolet laserowy. To łatwe, zwłaszcza jeżeli ktoś mieszka w takiej okolicy jak ta, w której nie ma nikogo i policja jej nie patroluje. Tutaj trzeba samemu dbać o swoje bezpieczeństwo.

— A gdy będziesz w pracy?

— Wezmę urlop!

— To bardzo miłe, J.R. Isidore. Ale jeżeli łowcy zlikwidowali innych: Maksa Polokova, Garlanda, Lubę, Haskingsa i Roya Baty'ego... — Urwała raptownie. — Roy i Irmgard Baty... Jeżeli oni nie żyją, to wszystko jest już bez znaczenia. Są moimi najlepszymi przyjaciółmi. Zastanawiam się, dlaczego u diabła nie mam od nich wiadomości? — Zaklęła ze złością.

Isidore zaniósł do kuchni zakurzone, dawno nieużywane talerze, szklanki i miski. Przed umyciem odkręcił najpierw kurek i długo czekał, aż spłynie ruda od rdzy gorąca woda i pojawi się czysta. W końcu przyszła Pris i usiadła przy stole. Otworzył butelkę chablis, podzielił brzoskwinie, ser i galaretkę sojową.

— Co to takiego? Ta biała substancja? Nie ser, prawda?

— Galaretka z mączki sojowej. Szkoda, że nie mam... — Przerwał i zaczerwienił się. — Kiedyś jadano to z sosem od pieczeni wołowej.

— Android — mruknęła Pris. — To pomyłka, jaką robią androidy. Tym właśnie się zdradzają. — Podeszła, stanęła przy nim i poczuł oszołomiony, że obejmuje go w pasie i na chwilę przytula się do niego. — Spróbuję brzoskwini — powiedziała i zgrabnie chwyciła długimi palcami śliski, różowopomarańczowy, pokryty meszkiem kawałek. I nagle, jedząc go, zaczęła płakać. Zimne łzy spływały po policzkach i kapały na gors jej sukienki. Nie wiedział, co robić, i dalej dzielił jedzenie. — Niech to licho — rzuciła z wściekłością. — No cóż... — Odsunęła się od niego i zaczęła spacerować, wolno, miarowymi krokami, naokoło pokoju. —

Mieszkaliśmy na Marsie, rozumiesz? Dlatego tyle wiem o androidach. — Głos jej drżał, ale mimo wszystko mówiła dalej. Najwidoczniej bardzo jej zależało na tym, aby móc do kogoś mówić. — I jedynymi ludźmi, jakich znasz na Ziemi — stwierdził Isidore — są twoi znajomi, reemigranci.

— Znaliśmy się jeszcze przed podróżą. Mieszkaliśmy niedaleko Nowego Jorku. Roy i Irmgard Baty prowadzili aptekę, on był farmaceutą, ona zajmowała się kosmetykami, kremami i maściami. Na Marsie korzysta się z bardzo wielu środków do pielęgnacji skóry. Ja... — Zawahała się. — Kupowałam u Roya rozmaite lekarstwa... Potrzebowałam ich początkowo, bo... no cóż, to jest jednak koszmarne miejsce. Tego... — jednym, gwałtownym gestem ogarnęła pokój, całe mieszkanie — tego nie da się nawet porównać. Myślisz, że cierpię, bo jestem samotna? Do diabła, cały Mars jest samotny. O wiele bardziej niż Ziemia.

— Czy androidy nie dotrzymują wam towarzystwa? Słyszałem program reklamowy na ten temat... — Usiadł i zaczął jeść. W końcu ona również wzięła do ręki kieliszek z winem i beznamiętnie upiła łyk. — Miałem wrażenie, że androidy wam pomagają.

— Androidy również są samotne.

— Smakuje ci wino? — zapytał.

Odstawiła kieliszek.

— Jest dobre.

— Od trzech lat nie widziałem innej butelki.

— Wróciliśmy — powiedziała Pris — ponieważ nikt nie powinien tam żyć. Mars nie został stworzony do zamieszkania, przynajmniej w ciągu ostatniego biliona lat. Jest taki stary. Czuje się ten straszliwy wiek w jego kamieniach. W każdym razie brałam u Roya różne lekarstwa — żyłam wyłącznie dzięki nowemu syntetycznemu środkowi przeciwbólowemu, silenzinie. Wtedy też spotkałam Horsta Hartmana, który prowadził wówczas sklep filatelistyczny z rzadkimi okazami. Mając tyle wolnego czasu, trzeba koniecznie znaleźć sobie jakieś hobby, coś, czym można zajmować się bez przerwy. I właśnie Horst zainteresował mnie fantastyką z okresu przedkolonialnego.

— Chodzi ci o stare książki?

— Opowieści o podróżach kosmicznych, zanim rozpoczęto podróże kosmiczne.

— W jaki sposób można było pisać o podróżach kosmicznych, zanim…

— Pisarze je wymyślili — odparła Pris.

— Opierając się na czym?

— Na wyobraźni. Bardzo często okazywało się, że byli w błędzie. Na przykład pisali o Wenus, że jest rajską planetą pokrytą dżunglą, zamieszkaną przez potwory i kobiety w lśniących napierśnikach. — Popatrzyła na niego. — Interesuje cię to? Wielkie kobiety z zaplecionymi w warkocze blond włosami i w błyszczących napierśnikach, w których pomieściłyby się melony?

— Nie — odparł.

— Irmgard jest blondynką — rzekła Pris. — Ale niedużą. W każdym razie na szmuglu na Marsa przedkolonialnej fantastyki można zbić majątek. A także czasopism, książek i filmów. Nie ma nic bardziej podniecającego. Znajdziesz tam opisy wspaniałych miast, wielkich przedsięwzięć przemysłowych i naprawdę pomyślnej kolonizacji. A wtedy sobie wyobrażasz, jak mogło wszystko wyglądać. Czym Mars mógł być. Kanały…

— Kanały? — Coś sobie niewyraźnie przypominał. Dawno temu wierzono, że na Marsie są kanały.

— Przecinające całą planetę — dodała Pris. — A także istoty

z gwiazd. Obdarzone nieograniczoną wiedzą. I jeszcze opowiadania o Ziemi osadzone w naszych czasach, a nawet później. Ale bez pyłu radioaktywnego.

— Ja bym sądził — powiedział Isidore — że po takiej lekturze człowiek czuje się gorzej.

— Ale tak nie jest — stwierdziła lakonicznie Pris.

— Czy przywiozłaś ze sobą jakieś przedkolonialne lektury? — Przyszło mu do głowy, że mógłby przeczytać na próbę coś takiego.

— Tutaj są bezwartościowe, bo na Ziemi ta namiętność nigdy się nie zakorzeniła. I tych książek jest tu całe mnóstwo po bibliotekach. Stąd pochodziły wszystkie nasze: zostały ukradzione z ziemskich bibliotek i wysłane automatyczną rakietą na Marsa. Wychodzi się w nocy na otwartą przestrzeń i nagle widzi się błysk. A potem znajduje się otwartą rakietę, a wokół niej rozsypaną przedkolonialną fantastykę. Majątek. Ale oczywiście, zanim je sprzedawaliśmy, czytaliśmy je od deski do deski. — Najwyraźniej był to dla niej podniecający temat. — Przede wszystkim...

Ktoś zastukał do drzwi wejściowych. Pris pobladła.

— Nie mogę podejść — wyszeptała. — Nie hałasuj, tylko siedź. — Nasłuchiwała z napięciem. — Zastanawiam się, czy drzwi są zamknięte — powiedziała niemal niesłyszalnie. — Boże, mam nadzieję, że tak. — Wzrok, dziki i pełen napięcia, wbiła w Isidore'a, jakby się modliła, aby to była prawda.

Z korytarza dobiegło odległe wołanie:

— Pris, jesteś tam?! — Głos był męski. — Tu Roy i Irmgard! Dostaliśmy twoją kartę!

Pris wstała, wyszła do sypialni i wróciła z piórem oraz kawałkiem papieru. Usiadła i nabazgrała szybko:

PODEJDŹ DO DRZWI.

Isidore wziął od niej nerwowo papier oraz pióro i napisał:
CO MAM POWIEDZIEĆ?
Ze złością odpisała:
SPRAWDŹ, CZY TO RZECZYWIŚCIE ONI.
Podniósł się i z ponurą miną przeszedł do saloniku. Skąd mam wiedzieć, że to oni? — zapytał sam siebie. Otworzył drzwi.
W mrocznym holu stało dwoje ludzi. Drobna kobieta, blondynka o niebieskich oczach i miłej aparycji budzącej skojarzenia z Gretą Garbo, oraz potężny mężczyzna o inteligentnym spojrzeniu, lecz płaskiej twarzy z mongolskimi rysami, które nadawały jej brutalny charakter. Kobieta miała na sobie modną pelerynę, wysokie lśniące buty i obcisłe spodnie, mężczyzna zaś był w pogniecionej koszuli i poplamionych spodniach, jakby chciał wyglądać wulgarnie. Uśmiechnął się do Isidore'a, ale jego oczy pozostały bez wyrazu.
— Szukamy... — zaczęła drobna blondynka, ale w tej samej chwili spojrzała za plecy Isidore'a. Jej twarz rozpromieniła się gwałtownie i kobieta przemknęła obok niego, wołając: — Pris! Jak się masz!
Isidore odwrócił się. Obie kobiety się obejmowały. Odstąpił od drzwi i do środka wszedł Roy Baty. Posępny, wielki i z krzywym uśmiechem na wargach.

Rozdział XIV

— Czy możemy swobodnie rozmawiać? — zapytał Roy, wskazując Isidore'a.

Drżąca ze szczęścia Pris odparła:

— Owszem. Do pewnego stopnia.

Zwróciła się do Isidore'a.

— Przepraszam — powiedziała i odprowadziwszy Batych na stronę, zaczęła coś do nich szeptać. Po chwili cała trójka wróciła do czującego się niezręcznie i nieswojo Isidore'a. — To pan Isidore — oznajmiła Pris. — Dba o mnie. — W jej słowach dźwięczał jakiś niemal złośliwy sarkazm. Isidore zamrugał. — Widzicie? Nawet mi przyniósł trochę naturalnej żywności.

— Żywność — powtórzyła Irmgard Baty i pobiegła do kuchni, żeby zobaczyć, o czym mówi Pris. — Brzoskwinie! — wykrzyknęła, po czym chwyciła miskę i łyżkę. Uśmiechając się do Isidore'a, jadła szybkimi, małymi kęsami, jak zwierzątko. Jej uśmiech, nie tak jak Pris, był po prostu ciepły. Bez żadnych podtekstów.

Isidore poszedł za nią. Czuł, że ta kobieta dziwnie go pociąga.

— Jesteście z Marsa — powiedział.

— Tak. Poddaliśmy się. — Głos Irmgard unosił się i opadał. Błyszczącymi oczyma przyglądała się z ptasią ciekawością Isidore'owi. — W jakim koszmarnym budynku pan żyje. Nie mieszka w nim nikt poza panem, prawda? Nie widzieliśmy żadnych świateł.

— Moje mieszkanie jest wyżej — odparł Isidore.

— Och, myślałam, że może Pris i pan mieszkacie razem. — W głosie Irmgard Baty nie brzmiała dezaprobata. Po prostu stwierdzała fakt.

Posępnie, ale wciąż z uśmieszkiem na wargach Roy powiedział:

— No cóż. Dopadli Polokova.

Radość, która na widok przyjaciół pojawiła się na twarzy Pris, natychmiast się ulotniła.

— Kogo jeszcze? — zapytała.

— Garlanda — dodał Roy. — A także Andersa i Gitchela, a dzisiaj Lubę. — Wiadomość, którą przekazał, ewidentnie sprawiała mu jakąś perwersyjną przyjemność. Jakby ze wstrząsu, którym to było dla Pris, czerpał szczególną rozkosz. — Nie przypuszczałem, że dopadną Lubę. Pamiętasz? Mówiłem to przez cały rejs.

— W takim razie zostaliśmy tylko… — rzekła Pris.

— …my troje — pośpiesznie dodała Irmgard z wyraźnym niepokojem.

— Dlatego tu jesteśmy. — W donośnym głosie Roya Baty'ego nieoczekiwanie pojawił się ciepły ton. Im gorsza była sytuacja, tym bardziej zdawał się nią cieszyć. Isidore nie mógł tego pojąć.

— O Boże — jęknęła wstrząśnięta Pris.

— No cóż, mają pewnego śledczego, łowcę — oznajmiła podnieconym głosem Irmgard. — Nazywa się Dave Holden. — Wymówiła to nazwisko tak, że zdawało się ociekać jadem. — Polokov niemal go załatwił.

— Niemal go załatwił — powtórzył Roy, uśmiechając się prawie od ucha do ucha.

— Ten łowca znalazł się w szpitalu — ciągnęła Irmgard. — Najwyraźniej jednak przekazali jego listę innemu i Polokov również niemal go załatwił. Ale w końcu drugiemu łowcy udało się usunąć Polokova. I ruszył po Lubę. Wiemy o tym, bo zdążyła porozumieć się z Garlandem. Wysłał kogoś, żeby zatrzymał łowcę i przywiózł go do budynku przy Mission Street. Luba zadzwoniła do nas już po tym, jak agent Garlanda zabrał łowcę. Była pewna, że wszystko jest załatwione, sądziła, że Garland go zabije. — Po chwili dodała: — Ale najwyraźniej przy Mission zdarzyło się coś nieprzewidzianego. Nie wiemy co. I może nigdy się nie dowiemy.

— Czy ten łowca zna nasze nazwiska? — spytała Pris.

— O tak, kochanie. Sądzę, że tak — odparła Irmgard. — Ale nie wie, gdzie jesteśmy. Roy i ja nie mamy zamiaru wracać do naszego mieszkania. Wrzuciliśmy do wozu tyle rzeczy, ile udało się nam zmieścić, i postanowiliśmy, że zajmiemy jeden z opuszczonych lokali w tym starym domu.

— Czy to rozsądne? — zapytał Isidore, zebrawszy się na odwagę. — Ż-ż-że będziemy wszyscy w jednym miejscu?

— No cóż, dostali już pozostałych — rzekła Irmgard. Podobnie jak mąż, mimo pozornego podniecenia sprawiała wrażenie dziwnie zrezygnowanej. Wszyscy oni są jacyś dziwni, pomyślał Isidore. Czuł to, ale nie mógł sprecyzować, o co chodzi. Sprawiali wrażenie, jakby ich procesy myślowe zakłócało jakieś szczególne, złośliwe roztargnienie. Może z wyjątkiem Pris, która była po prostu przerażona. Ona wydawała się prawie naturalna. Ale...

— Dlaczego nie przeprowadzisz się do niego? — zapytał ją Roy, wskazując Isidore'a. — W jakiejś mierze będzie mógł cię chronić.

— Z kurzym móżdżkiem? — odparła Pris, rozdymając nozdrza. — Nie mam zamiaru żyć ze specjalem.

— Uważam, że to głupio zadzierać nosa w takiej sytuacji — gwałtownie oznajmiła Irmgard. — Łowcy działają szybko. Ten być może spróbuje zakończyć wszystko jeszcze dziś wieczorem. Pewnie liczy, że dostanie specjalną premię, jeżeli załatwi sprawę przed...

— O rany, zamknijmy drzwi na korytarz — rzekł Roy. Podszedł do nich, pchnął je i zatrzasnął, po czym przekręcił zamek. — Uważam, Pris, że powinnaś pójść do Isidore'a, a my z Irm zostaniemy w tym budynku. W ten sposób będziemy mogli sobie pomagać. W samochodzie mam trochę elektronicznych części, złomu, który zabrałem ze statku. Założę dwustronny podsłuch, dzięki czemu Pris będzie mogła słyszeć nas, a my ją. Zainstaluję też system alarmowy, który każdy z nas czworga będzie mógł wyłączyć. Wyraźnie widać, że syntetyczne osobowości nie zdały egzaminu, nawet u Garlanda. Oczywiście Garland sam włożył głowę w stryczek, sprowadzając łowcę na Mission Street. To był błąd. Podobnie Polokov: zamiast trzymać się od łowcy jak najdalej, postanowił się do niego zbliżyć. Nie powtórzymy tego błędu. Zostaniemy w jednym miejscu. — Wcale nie wyglądał na zmartwionego. Wręcz przeciwnie — sytuacja wydawała się przepełniać go intensywną, niemal szaleńczą energią. — Uważam... — Nabrał głęboko powietrza, przyciągając uwagę ich wszystkich, nawet Isidore'a. — Uważam, że dlatego wciąż jeszcze żyjemy. Gdyby łowca miał pojęcie, gdzie nas szukać, już by się pokazał. Praca łowcy na tym właśnie polega, żeby poruszać się jak najszybciej. Dopiero wtedy ma z tego zysk.

Irmgard skinęła głową i dodała:

— A jeżeli będzie zwlekał, znowu się wyślizgniemy. Myślę, że Roy ma rację. Założę się, że łowca zna nasze nazwiska, ale nie wie, gdzie nas szukać. Biedna Luba. Ukryła się w operze, na widoku. Odnaleźli ją bez trudu.

— No cóż, tak sobie życzyła — odparł nienaturalnym tonem Roy. — Uważała, że jako osoba publiczna będzie bezpieczniejsza.

— Uprzedzałeś ją, że stanie się inaczej — przypomniała Irmgard.

— Tak — przyznał Roy. — Tłumaczyłem jej, podobnie jak mówiłem Polokovovi, żeby nie próbował udawać funkcjonariusza WOP. Tłumaczyłem również Garlandowi, że załatwi go jeden z jego własnych łowców i bardzo możliwe, że tak właśnie się stało. — Kołysał się w przód i w tył. Na jego twarzy malowało się głębokie zamyślenie.

— Z-z tego, c-c-co mówi pan Baty — odezwał się Isidore — wnioskuję, że jest on waszym przywódcą.

— O tak — przyznała Irmgard. — Roy jest przywódcą.

— Zorganizował naszą… podróż — dodała Pris. — Z Marsa na Ziemię.

— W takim razie — rzekł Isidore — lepiej zróbcie, j-j-jak wam radzi. — Głos łamał mu się z napięcia i nadziei. — S-s-sądzę, że byłoby wspa-a-aniale, Pris, gdybyś za-za-zamieszkała ze mną. Na parę dni wezmę zwolnienie z pracy — należy mi się urlop. I dopilnuję, żeby wszystko było w porządku. — A Milt, który jest bardzo pomysłowy, może zrobi mi jakąś broń, pomyślał. Coś specjalnego, czym można by zabijać łowców… kimkolwiek oni są. Przez głowę przemknął mu niewyraźny, mroczny obraz czegoś bezlitosnego, uzbrojonego i wyposażonego w wydrukowaną listę, co jak maszyna wypełnia codzienne, zbiurokratyzowane obowiązki zabójcy. Czegoś bez emocji, nawet bez twarzy. I jeżeli łowca zostanie zabity, natychmiast zastąpi go niemal identyczny. I tak dalej, aż wszystko, co żyje i jest prawdziwe, zostanie zastrzelone.

Aż trudno uwierzyć, pomyślał, że policja nic na to nie może poradzić. Trudno mi w to uwierzyć. Ci ludzie musieli coś zrobić. Być może wrócili na Ziemię nielegalnie. Wciąż nam powtarzają — telewizja wciąż powtarza — że trzeba meldować o lądowaniach statku poza oficjalnymi lądowiskami. Policja na pewno tego pilnuje.

Ale nawet w takich wypadkach nikt nikogo nie zabija umyślnie. To sprzeczne z merceryzmem.

— Kurzy móżdżek mnie lubi — oświadczyła Pris.

— Nie nazywaj go tak, Pris. — Irmgard popatrzyła ze współczuciem na Isidore'a. — Pomyśl, jak mógłby nazywać ciebie.

Pris nie odpowiedziała. Jej twarz stała się nieprzeniknioną.

— Zacznę zakładać podsłuch — oznajmił Roy. — Irmgard i ja zatrzymamy się w tym mieszkaniu. Pris pójdzie z panem, panie Isidore.

Skierował się do wyjścia, poruszając się bardzo zwinnie jak na tak potężnie zbudowanego mężczyznę. W mgnieniu oka otworzył z trzaskiem drzwi i zniknął w korytarzu. Isidore miał dziwne złudzenie — przez ułamek sekundy widział metalową konstrukcję z cięgłami i obwodami elektrycznymi, akumulatorami, serwomechanizmami i kołami zębatymi — a zaraz potem ponownie ujrzał znikającą za drzwiami niechlujną postać Roya Baty'ego. Isidore poczuł, jak wzbiera w nim śmiech — i stłumił go z trudem. Był oszołomiony.

— Człowiek czynu — powiedziała z rezerwą Pris. — Szkoda tylko, że jest tak niezgrabny, gdy ma do czynienia z techniką.

— Jeśli ocalejemy, to tylko dzięki Royowi — odparła surowo Irmgard, jakby udzielała jej nagany.

— Ale czy warto? — powiedziała Pris właściwie sama do siebie. Wzruszyła ramionami, po czym skinęła głową Isidore'owi. — W porządku J.R. Idę z tobą i będziesz mógł mnie chronić.

— W-w-was wszystkich — odparł natychmiast Isidore.

— Chcę — powiedziała poważnym, oficjalnym tonem Irmgard Baty — aby pan wiedział, jak bardzo to doceniamy, panie Isidore. Jest pan pierwszym przyjacielem, którego znaleźliśmy na Ziemi. To bardzo miłe z pana strony i może kiedyś zdołamy się panu zrewanżować. — Podeszła do niego i poklepała go po ramieniu.

— Czy macie jakąś przedkolonialną beletrystykę, którą mógłbym poczytać? — zapytał ją.

— Słucham? — Irmgard ze zdziwieniem spojrzała na Pris.

— Chodzi mu o stare czasopisma — odparła dziewczyna. Spakowała trochę swoich rzeczy i Isidore, czując wewnętrzne ciepło, które mogło wywołać jedynie to, że osiągnął cel, wziął z jej rąk węzełek. — Nie, J.R. Nie przywieźliśmy ich ze sobą. Tłumaczyłam ci już dlaczego.

— Jutro p-p-pójdę do biblioteki — oznajmił Isidore, wychodząc na korytarz. — I p-p-przyniosę coś do czytania dla siebie i dla was, żebyście mieli się czym zająć. Od samego czekania można oszaleć.

Zaprowadził Pris do swojego mieszkania. Było mroczne, puste, duszne i ledwie ciepłe. Kiedy zaniósł jej rzeczy do sypialni, natychmiast włączył ogrzewanie, światła i odbierający tylko jeden kanał telewizor.

— Podoba mi się tu — oznajmiła Pris wciąż tym samym, jakby nieobecnym tonem. Błąkała się po pokojach z rękami w kieszeniach spódnicy i kwaśną miną. Można było odnieść wrażenie, że jej niezadowolenie przeradza się w oburzenie, skrajnie kontrastujące z tym, co powiedziała.

— O co chodzi? — zapytał, kładąc jej rzeczy na sofę.

— O nic. — Zatrzymała się przy panoramicznym oknie, odciągnęła zasłony i zapatrzyła się posępnie w przestrzeń.

— Jeżeli uważasz, że was szukają… — zaczął.

— To sen — odparła Pris. — Spowodowany narkotykami, które podawał mi Roy.

— S-słucham?

— Sądzisz, że łowcy naprawdę istnieją?

— Pan Baty powiedział, że zabili waszych przyjaciół.

— Roy Baty jest równie szalony jak ja — odparła Pris. — W rzeczywistości przyjechaliśmy tu ze szpitala psychiatrycznego na Wschodnim Wybrzeżu. Wszyscy jesteśmy schizofrenikami o zdefektowanej strukturze emocjonalnej — nazywają to spłaszczeniem efektu. I mamy grupowe halucynacje.

— Nie wierzyłem, że to prawda, co mówiliście — powiedział z ulgą.

— Dlaczego? — Odwróciła się i wbiła w niego spojrzenie. Patrzyła tak badawczo, że poczuł, jak się rumieni.

— B-b-bo takie rzeczy się nie zdarzają. Rz-rz-rząd nikogo nigdy nie zabija, żadne przestępstwo nie jest karane śmiercią. A merceryzm…

— Ale jeśli nie jesteś człowiekiem — powiedziała Pris — wszystko wygląda inaczej.

— To nieprawda. Nawet zwierzęta — węgorze, świstaki, węże i pająki — są święte.

Pris wciąż uważnie się w niego wpatrując, zapytała:

— A więc to niemożliwe, prawda? Jak powiedziałeś, prawo chroni nawet zwierzęta. Wszystkie formy życia. Wszystkie organiczne istoty, które wiją się, pełzają, kopią nory, latają, roją się, składają jaja... — Przerwała, bo w tej właśnie chwili gwałtownie otworzyły się drzwi do mieszkania i wszedł Roy Baty, ciągnąc za sobą szeleszczące przewody.

— Owady są szczególnie czczone — oświadczył nie zmieszany tym, że usłyszał ich rozmowę. Zdjął obraz ze ściany w salonie, umocował do gwoździa maleńki elektroniczny aparat i cofnął się trochę. Przyjrzał się swojemu dziełu, a potem znowu zawiesił obraz. — Teraz alarm. — Zebrał ciągnące się za nim przewody umocowane do skomplikowanego urządzenia. Wciąż ze swoim niepokojącym uśmiechem pokazał aparaturę Pris i Johnowi Isidore'owi. — Alarm. Przewody leżą pod dywanem. Są anteną. Reaguje na obecność... — zawahał się — myślącej jednostki — zakończył niejasno. — Czyli na nikogo z nas czworga.

— I co z tego, że alarm się odezwie? — powiedziała Pris. — Łowca będzie miał broń. Mamy wszyscy rzucić się na niego i zagryźć go na śmierć?

— To urządzenie ma wbudowany modulator Penfielda — wyjaśnił Roy. — Kiedy alarm się włączy, zespół zacznie emitować fale wywołujące u intruza panikę. Chyba że zadziała bardzo szybko, co jest możliwe. Wpadnie w straszliwą panikę. Nastroiłem aparat na pełną moc. Żadna ludzka istota nie wytrzyma w sąsiedztwie tej aparatury dłużej niż kilka sekund. Na tym polega panika — prowadzi do przypadkowych, absurdalnych działań, bezsensownej ucieczki, skurczy mięśniowych i nerwowych. A to być może pozwoli nam go dopaść — zakończył. — Mamy szansę. Wszystko zależy od tego, jak jest dobry.

— Czy alarm nie zadziała również na nas? — spytał Isidore.

— Słusznie — przyznała Pris i zwróciła się do Roya Baty'ego. — Isidore zareaguje na niego.

— No i co z tego? — odparł Baty, znowu zabierając się do zakładania instalacji. — W takim razie obaj wybiegną stąd w panice. Zyskamy na czasie. Nie zabiją Isidore'a, nie mają go na liście. Dlatego jest dla nas przydatny jako osłona.

— Nie mógłbyś lepiej tego urządzić, Roy? — zapytała ostro Pris.

— Nie — odparł. — Nie mogę.

— Jutro z-z-zorganizuję jakąś broń — odezwał się Isidore.

— Czy jesteś pewien, że obecność Isidore'a nie spowoduje włączenia alarmu? — powiedziała Pris. — W końcu on jest... Sam wiesz.

— Wprowadziłem poprawkę na jego emanacje umysłowe — wyjaśnił Roy. — Ich suma nie włączy niczego. Na to byłoby trzeba jeszcze jednego człowieka. Osoby. — Marszcząc brwi, zerknął na Isidore'a, w pełni zdając sobie sprawę, co powiedział.

— Jesteście androidami — stwierdził Isidore. Ale nie obchodziło go to, nie robiło mu najmniejszej różnicy. — Rozumiem, dlaczego chcą was zabić — powiedział. — Tak naprawdę wcale nie żyjecie. — Wszystko teraz zaczęło być zrozumiałe. Łowca, zlikwidowanie ich przyjaciół, podróż na Ziemię, wszystkie środki bezpieczeństwa.

— Niewłaściwie użyłem słowa „człowiek" — powiedział Roy Baty do Pris.

— Słusznie, panie Baty — przytaknął Isidore. — Ale jakie to ma dla mnie znaczenie? Przecież jestem specjalem. Nie traktują mnie zbyt dobrze, na przykład nie mogę emigrować. — Zorientował się, że dusi się własnymi słowami. — Wy nie możecie przyjeżdżać tutaj, ja nie mogę... — Uspokoił się.

Po chwili milczenia Roy Baty oznajmił lakonicznie:

— Mars by ci się nie spodobał. Nic nie tracisz.

— Zastanawiałam się, ile czasu potrwa, zanim się zorientujesz — powiedziała do Isidore'a Pris. — Różnimy się, prawda?

— Na tym zapewne potknęli się Garland i Maks Polokov — rzekł Roy Baty. — Byli tak cholernie przekonani, że zdołają udawać ludzi. Luba również.

— Jesteście intelektualni — powiedział Isidore. Znowu czuł podniecenie, bo udało mu się ich przejrzeć. Podniecenie i dumę. — Myślicie abstrakcyjnie i nie... — Gestykulował, plątały mu się słowa. Jak zwykle. — Chciałbym mieć to co wy... zdałbym testy, nie byłbym już kurzym móżdżkiem. Myślę, że stoicie o wiele wyżej. Mógłbym się sporo od was nauczyć.

Po chwili milczenia Roy Baty oznajmił:

— Skończę montować alarm. — Znowu zabrał się do pracy.

— Jeszcze się nie zorientował — oznajmiła ostrym, mocnym głosem Pris — jak wydostaliśmy się z Marsa. Co tam zrobiliśmy.

— Nic nie mogliśmy na to poradzić — mruknął Roy Baty.

W otwartych drzwiach do korytarza stała Irmgard Baty. Zauważyli ją, dopiero kiedy się odezwała.

— Nie sądzę, żebyśmy musieli się martwić panem Isidore'em — powiedziała z przejęciem. Podeszła do niego szybkim krokiem i popatrzyła mu w oczy. — Nie traktują go przecież zbyt dobrze, jak sam powiedział. A to, co zrobiliśmy na Marsie, wcale go nie interesuje. Zna nas i lubi, a taka emocjonalna akceptacja jest dla niego wszystkim. Trudno nam pojąć, ale to prawda. — Zwróciła się do Isidore'a; znowu stała tuż obok niego i zadzierała w górę głowę, by na niego spojrzeć. — Jeżeli nas wydasz, dostaniesz dużo pieniędzy. Zdajesz sobie z tego sprawę? — Odwróciła się i powiedziała do męża: — Widzisz, wie o tym, ale i tak nic nie powie.

— Jesteś wielkim człowiekiem, Isidore — rzekła Pris. — Chlubą swojego gatunku.

— Gdyby był androidem — oświadczył zdecydowanie Roy — wydałby nas mniej więcej jutro o dziesiątej rano. Wyjechałby do pracy i byłoby po wszystkim. Jestem pełen podziwu. — Trudno było ocenić, co wyraża ton jego głosu, a przynajmniej Isidore tego nie potrafił. — A my wyobrażaliśmy sobie nieprzyjazny świat, planetę pełną wrogich twarzy, gdzie wszyscy będą przeciwko nam. — Roześmiał się ostro.

— Wcale się tym nie martwię — powiedziała Irmgard.

— Powinnaś być nieprzytomna z przerażenia — stwierdził Roy.

— Głosujmy — zaproponowała Pris. — Tak jak robiliśmy na statku, kiedy powstawała różnica zdań.

— Dobrze — zgodziła się Irmgard. — Już nic nie powiem. Ale uważam, że jeżeli odtrącimy tę propozycję, nie znajdziemy innej ludzkiej istoty, która nas przygarnie i udzieli pomocy. Pan Isidore jest... — Nie mogła znaleźć słowa.

— Specjalny — podpowiedziała jej Pris.

Rozdział XV

Głosowali z powagą, wręcz uroczyście.

— Zostajemy tutaj — oświadczyła stanowczo Irmgard. — W tym domu, w tym mieszkaniu.

— Ja natomiast głosuję za tym — powiedział Roy Baty — żebyśmy zabili pana Isidore'a i ukryli się gdzie indziej.

On, jego żona — i John Isidore — z napięciem spojrzeli na Pris. Pris oznajmiła cicho:

— Chcę, żebyśmy tu zostali. — I dodała głośniej: — Uważam, że przydatność J.R. dla nas przeważa nad zagrożeniem wynikającym z tego, że o nas wie. Żyjąc wśród ludzi, najwidoczniej nie możemy uniknąć rozpoznania. To właśnie spowodowało śmierć Polokova, Garlanda, Luby i Andersa. Właśnie to ich zabiło.

— A może postąpili tak jak my teraz — rzekł Roy Baty. — Zaufali jedynej istocie ludzkiej, o której sądzili, że jest inna. Jak powiedziałyście, specjalna.

— Nie wiemy — powiedziała Irmgard. — To tylko założenie. Sądzę, że oni... — Zrobiła ręką nieokreślony gest. — Chodzili po ulicach. Śpiewali na scenie jak Luba. Wierzymy... właśnie to, w co wierzymy, jest przyczyną naszych niepowodzeń, Roy. Ta nasza cholerna wyższa inteligencja! — Spojrzała gniewnie na męża. Jej drobne, strome piersi poruszały się gwałtownie w rytm oddechu. — Jesteśmy tacy sprytni... Roy, właśnie tak postępujesz. Niech cię licho, właśnie tak postępujesz!

— Mam wrażenie, że Irm ma rację — powiedziała Pris.

— A więc uzależniamy nasze życie od niepełnowartościowego, nieszczęsnego... — zaczął Roy i nagle urwał. — Jestem zmęczony — oświadczył po prostu. — To była długa podróż, Isidore. Ale nasz pobyt tutaj jest krótki. Niestety.

— Mam nadzieję — rzekł radośnie Isidore — że pomogę uprzyjemnić wasz pobyt na Ziemi. — Był o tym przekonany. Miał wrażenie, że to najważniejszy moment w całym jego życiu. Czuł stanowczość, którą nabył dziś, rozmawiając przez wideofon.

Natychmiast po pracy Rick Deckard poleciał na drugi kraniec miasta do sklepów ze zwierzętami — kilku kwartałów zajętych przez wielkie magazyny zoologiczne z wielkimi oknami wystawowymi i kuszącymi reklamami. Wciąż nie opuszczało go to nowe, straszliwe przygnębienie, które tak bardzo odczuł tego dnia rano. Jego zainteresowanie zwierzętami i ludźmi, którzy nimi handlowali, wydawało się jedynym jasnym punktem w spowijającym go całunie depresji, szczeliną pozwalającą wydostać się z sytuacji, w jakiej się znalazł. W przeszłości widok zwierząt, świadomość odbywających się transakcji opiewających na wysokie sumy niezwykle mu pomagały. Może stanie się tak i dzisiaj.

— Słucham pana — schludnie ubrany nowy ekspedient zagadnął Deckarda, który stał wpatrzony w gabloty z pokornym pożądaniem. — Czy coś pana zainteresowało?

— Niejedno — odparł Rick. — Problemem jest cena.

— Proszę powiedzieć, jakiego zakupu chciałby pan dokonać — rzekł sprzedawca. — Co zamierza pan u nas nabyć i jak ma pan zamiar za to zapłacić. Przedstawimy wszystko naszemu kierownikowi działu sprzedaży i uzyskamy jego akceptację.

— Mam trzy tysiące gotówką. — Pod koniec dnia wydział wypłacił mu nagrodę. — Ile kosztowałaby — zapytał — ta rodzina królików?

— Proszę pana, jeżeli może pan zapłacić od ręki trzy tysiące, mogę panu zaproponować coś o wiele lepszego od pary królików. Co by pan powiedział o kozie?

— Nie zastanawiałem się specjalnie nad kozą — stwierdził Rick.

— Czy wchodzi pan na zupełnie nowy pułap cen, jeżeli wolno zapytać?

— No cóż, zazwyczaj nie noszę przy sobie trzech tysięcy — przyznał Rick.

— Tak właśnie pomyślałem, proszę pana, kiedy wspomniał pan o królikach. Cały problem z królikami polega jednak na tym, że mają je wszyscy. Ja natomiast chciałbym, aby awansował pan do wyższej klasy, klasy posiadaczy kóz, do której — jestem tego pewien — powinien pan należeć. Szczerze mówiąc, sprawia pan na mnie wrażenie posiadacza kozy.

— Dlaczego uważa pan, że kozy są lepsze?

— Bardzo poważną zaletą kozy jest to — stwierdził sprzedawca — że można ją nauczyć bóść każdego, kto próbuje ją ukraść.

— To nic nie da, jeżeli strzelą do niej nabojem usypiającym i zejdą po drabince sznurowej z hovera — stwierdził Rick.

Niezrażony sprzedawca kontynuował:

— Koza jest wierna. I ma wolną, szczerą duszę, której żadna klatka nie zdoła powstrzymać. I ma jeszcze jedną cechę kozy, o której może pan nie wiedzieć. Bardzo często jest tak, że inwestuje pan w zwierzę, zabiera je do domu i pewnego dnia okazuje się, że zjadło coś radioaktywnego i zmarło. Kozie nie szkodzi zanieczyszczony pseudopokarm. Może się żywić eklektycznie, nawet czymś, co zabiłoby krowę, konia, nie wspominając o kocie. Jesteśmy zdania, że poważnemu miłośnikowi zwierząt koza jako inwestycja długoterminowa, szczególnie samica, może przynosić nadzwyczajne korzyści.

— Czy ta koza jest samicą? — Wreszcie zauważył wielką czarną kozę stojącą pośrodku klatki. Poszedł w jej stronę, a ekspedient za nim. Rickowi koza wydała się przepiękna.

— Tak, to samica — potwierdził sprzedawca. — Czarna koza nubijska, jak pan widzi, bardzo duża. Tego roku ma świetne notowania na rynku. A oferujemy ją po wyjątkowo atrakcyjnej, niskiej cenie.

Rick wydobył swojego zmiętego Sidneya i odszukał pozycję „kozy, czarne nubijskie".

— Transakcja gotówkowa — spytał ekspedient — czy oddaje pan w rozrachunku używane zwierzę?

— Całkowicie gotówkowa.

Sprzedawca na kawałku papieru nagryzmolił cenę i szybko, niemal ukradkiem, pokazał ją Rickowi.

— Za dużo — odparł Rick. Wziął kartkę i napisał o wiele mniejszą.

— Nie możemy sprzedać kozy za tyle — zaprotestował ekspedient. Napisał kolejną liczbę. — Ma niecały rok, a statystyczna długość jej życia jest bardzo duża. — Pokazał cenę Rickowi.

— Zgoda — stwierdził Rick.

Podpisał umowę kupna, zapłacił pierwszą ratę w wysokości trzech tysięcy dolarów — wszystkie pieniądze z nagród — i wkrótce potem zorientował się lekko oszołomiony, że stoi przy swoim hoverze, a pracownicy sklepu zoologicznego ładują do niego klatkę z kozą. Mam już zwierzę, pomyślał. Żywe zwierzę, a nie elektryczne. Po raz drugi w życiu.

Wydatek i wynikające z kontraktu zadłużenie wstrząsnęły nim, czuł, że cały dygocze. Ale musiałem to zrobić, pomyślał. Po tym, co przeżyłem w związku z Philem Reschem, muszę odzyskać wiarę w siebie i swoje umiejętności.

Nieposłusznymi dłońmi skierował hovera w niebo i poleciał w stronę mieszkania i Iran. Będzie zła, pomyślał. Będzie ją niepokoić odpowiedzialność. A ponieważ przez cały dzień siedzi w domu, doglądanie kozy w większości spadnie na nią. Znowu opadło go przygnębienie.

Wylądowawszy na dachu domu, siedział przez jakiś czas, szukając sensownego wytłumaczenia. Wymaga tego moja praca, pomyślał, sięgając po ostateczne argumenty. Nasz prestiż. Nie możemy się dłużej obywać elektryczną owcą, to źle wpływa na moje morale. Może zdołam jej to wytłumaczyć, pocieszał się.

Wyszedł z maszyny, ściągnął klatkę z kozą z tylnego siedzenia i z wysiłkiem postawił ją na dachu. Koza, która w czasie przenosin ślizgała się po podłodze klatki, patrzyła na niego uważnie, ale nie wydała żadnego dźwięku.

Zjechał na swoje piętro i wszedł do mieszkania.

— Cześć — przywitała go Iran, przygotowująca w kuchni obiad. — Dlaczego tak późno?

— Chodź ze mną na dach — powiedział. — Chcę ci coś pokazać.

— Kupiłeś jakieś zwierzę. — Zdjęła fartuch, odruchowo przygładziła włosy i wyszła za nim. Ruszyli korytarzem dużymi, niecierpliwymi krokami. — Nie powinieneś był kupować go beze mnie — powiedziała Iran, dysząc ciężko. — Mam prawo uczestniczyć w podjęciu takiej decyzji, najważniejszego nabytku, jaki kiedykolwiek...

— Chciałem ci zrobić niespodziankę — wyjaśnił.

— Zdobyłeś dziś jakieś nagrody — oznajmiła Iran oskarżycielskim tonem.

— Tak — odparł Rick. — Usunąłem trzy andki. — Weszli do windy i wspólnie wznieśli się bliżej Boga. — Musiałem to kupić — rzekł. — Stało się dziś coś niedobrego, coś związanego z usunięciem androidów. Pewnie nie mógłbym dalej pracować, gdybym nie kupił zwierzęcia. — Winda dotarła na dach. Poprowadził żonę w wieczorny mrok, ku klatce. Włączył światła, zainstalowane na dachu dla wygody mieszkańców, i bez słowa wskazał żonie kozę. Czekał na jej reakcję.

— O mój Boże — szepnęła Iran. Podeszła do klatki i spojrzała do środka, a potem obeszła ją dokoła, oglądając kozę ze wszystkich stron. — Jest prawdziwa? — spytała. — Nie sztuczna?

— Całkowicie — zapewnił ją. — Chyba że mnie oszukali. — Ale to zdarzało się rzadko. Grzywna za oszustwo byłaby ogromna, wynosiłaby dwuipółkrotną rynkową wartość prawdziwego zwierzęcia. — Nie, nie oszukali mnie.

— To koza — powiedziała Iran. — Czarna, nubijska koza.

— Samica — rzekł Rick. — Może później znajdziemy dla niej samca. I będziemy mogli ją doić. A z mleka robić ser.

— Czy możemy ją wypuścić? Umieścić ją tam, gdzie jest owca?

— Powinna być spętana — wyjaśnił. — Przynajmniej kilka dni.

— *Moje życie jest miłością i rozkoszą* — powiedziała cicho, dziwnym tonem Iran. — Bardzo stary walc Josefa Straussa. Pamiętasz? Kiedy spotkaliśmy się po raz pierwszy. — Delikatnie położyła mu dłoń na ramieniu, pochyliła się i pocałowała go. — Wiele miłości. I bardzo wiele rozkoszy.

— Dziękuję — odparł, tuląc ją do siebie.

— Zjedźmy na dół i złóżmy podziękowanie Mercerowi. A potem wrócimy tu znowu i od razu nadamy jej imię. Musi mieć imię. Może znajdziesz też sznur, żeby ją spętać. — Ruszyła do drzwi.

Ich sąsiad, Bill Barbour, który oporządzał swoją klacz Judy, zawołał do nich:

— Hej, Deckardowie, macie bardzo piękną kozę! Gratuluję! Dobry wieczór, pani Deckard. Może będziecie mieli młode. Wymieniłbym swojego źrebaka za parę młodych.

— Dziękuję — odparł Rick, ruszając za Iran w stronę windy. — Czy to uleczy twoją depresję? — zapytał. — Bo moją uleczyło.

— Z całą pewnością — stwierdziła Iran. — Teraz możemy wszystkim powiedzieć, że owca jest sztuczna.

— Nie ma takiej potrzeby — odparł ostrożnie.

— Ale powinniśmy — nalegała Iran. — Rozumiesz, nie mamy już nic do ukrycia. Spełniło się to, czego zawsze pragnęliśmy. To sen! — Jeszcze raz stanęła na palcach i szybko pocałowała męża. Jej nierówny, szybki oddech połaskotał go w szyję. A potem wyciągnęła rękę, aby nacisnąć guzik windy.

Coś go ostrzegło. Coś zmusiło go, aby powiedział:

— Nie wracajmy jeszcze do mieszkania. Zostańmy tu z kozą. Posiedźmy, popatrzmy na nią i może dajmy jej coś do zjedzenia. Podarowali mi na początek cały worek owsa. I przeczytamy podręcznik obsługi kozy. Również dali mi go bez dodatkowych opłat.

Możemy ją nazwać Eufemia. — Jednak winda już się pojawiła
i Iran weszła do środka. — Iran, poczekaj! — zawołał.

— Byłoby niemoralne, gdybyśmy się nie zespolili z Mercerem,
aby okazać mu wdzięczność — oświadczyła. — Trzymałam dziś
uchwyty skrzynki i dzięki temu trochę przezwyciężyłam moją
depresję — tylko trochę, nie tak jak teraz. Ale jednak zostałam
trafiona kamieniem. O, tutaj. — Uniosła rękę, pokazując mu
przegub, na którym dostrzegł niewielki ciemny siniak. — I pamiętam, że myślałam, o ile jesteśmy lepsi, o ile bardziej otwarci,
kiedy przebywamy z Mercerem. Mimo bólu. Cierpimy cieleśnie,
ale duchowo jesteśmy razem. Czułam wszystkich innych, na
całym świecie, wszystkich, którzy zespalali się w tym samym
czasie. — Przytrzymała drzwi, aby się nie zamknęły. — Wejdź,
Rick. To będzie tylko chwila. Rzadko doznajesz zespolenia. Chcę,
żebyś przekazał swój obecny nastrój wszystkim innym, jesteś
im to winien. Byłoby niemoralne zatrzymać to uczucie tylko
dla siebie.

Oczywiście miała rację. Wszedł do windy i ponownie zjechał
na dół.

W saloniku stała skrzynka empatyczna. Iran szybko ją włączyła. Na jej twarzy coraz wyraźniej ukazywał się smutek, roz-
świetlając ją jak wschodzący sierp księżyca.

— Chcę, aby wszyscy wiedzieli — powiedziała. — Kiedyś zdarzyło mi się coś podobnego, zespoliłam się i odebrałam kogoś,
kto właśnie kupił zwierzę. A potem, pewnego dnia... — Jej twarz
pomroczniała, zniknęło z niej zadowolenie. — Pewnego dnia
odebrałam kogoś, czyje zwierzę zmarło. Ale wszyscy inni dzielili
z nim różne swoje radości — ja nie miałam żadnej, jak się domy-
ślasz — i to pomogło mu się pocieszyć. Może nawet odbierzemy
potencjalnego samobójcę. To, co mamy, co czujemy, mogłoby...

— Otrzymają naszą radość — rzekł Rick — ale my ją stracimy. Wymienimy to, co czujemy, na to, co czują oni. Utracimy naszą radość.

Na ekranie skrzynki empatycznej widniały już migoczące, bezkształtne kolory. Iran nabrała powietrza w płuca i mocno ujęła dwa uchwyty.

— Tak naprawdę — powiedziała — wcale nie tracimy tego, co czujemy, w każdym razie kiedy staramy się zachować to w pamięci. Nigdy nie przyzwyczaiłeś się do zespolenia, prawda, Rick?

— Chyba nie — odpowiedział. Teraz jednak zaczął po raz pierwszy odczuwać, jak wielkim darem dla ludzi takich jak Iran jest merceryzm. Być może jego przeżycia związane z łowcą Philem Reschem zmieniły w nim jakieś maleńkie połączenie nerwowe, zamknęły jedno i otworzyły drugie. A to mogło zapoczątkować reakcję łańcuchową. — Iran — powiedział gwałtownie i odciągnął ją od skrzynki empatycznej. — Posłuchaj. Chciałbym z tobą porozmawiać o tym, co mi się dzisiaj zdarzyło. — Podprowadził ją do sofy i posadził na niej przed sobą. — Spotkałem innego łowcę — powiedział. — Nigdy dotąd go nie widziałem. To drapieżnik, który chyba lubi je niszczyć. W jego towarzystwie pierwszy raz zacząłem spoglądać na nie inaczej. Chcę przez to powiedzieć, że na swój sposób zacząłem je postrzegać tak jak on.

Przeprowadziłem na sobie test i zweryfikowałem go — ciągnął. — Zacząłem nawiązywać empatyczną więź z androidami. Zdajesz sobie sprawę, co to oznacza. Powiedziałaś dziś rano: „Te biedne andki", więc wiesz, o czym mówię. Dlatego właśnie kupiłem kozę. Nigdy dotąd tak się nie czułem. Może to depresja, jak u ciebie. Teraz rozumiem twoje cierpienie. Zawsze sądziłem, że lubisz swoją depresję i że w każdej chwili możesz się od niej uwolnić — samodzielnie, a jeśli to niemożliwe, za pomocą modyfikatora nastroju. Kiedy jednak popadasz w przygnębienie, przestaje ci na tym zależeć. Ogarnia cię apatia, gdyż utraciłaś skalę wartości. Nie ma znaczenia, czy poczujesz się lepiej, bo nie ma to już jakiejkolwiek wartości...

— A co z twoją pracą? — Ton jej głosu ugodził go boleśnie. Zamrugał. — Co z pracą? — powtórzyła Iran. — Jakie są miesięczne raty za kozę? — Wyciągnęła rękę. Odruchowo wyjął z kieszeni umowę i podał jej. — Aż tyle — powiedziała słabym głosem. — Procenty. Mój Boże, same procenty. I zrobiłeś to dlatego, że wpadłeś w depresję. Wcale nie chciałeś sprawić mi niespodzianki, jak najpierw powiedziałeś. — Oddała mu dokument. — No cóż, to nie ma znaczenia. Mimo wszystko cieszę się, że mamy kozę. Uwielbiam ją. Ale takie obciążenie finansowe... — Jej twarz jakby poszarzała.

— Mogę przejść do innej grupy — powiedział Rick. — Wydział zajmuje się dziesięcioma czy jedenastoma rodzajami przestępstw. Na przykład kradzieże zwierząt. Mogę się tam przenieść.

— Ale te pieniądze z nagród... Potrzebujemy ich albo odbiorą nam kozę!

— Mogę przedłużyć okres płatności z trzydziestu sześciu do czterdziestu ośmiu miesięcy. — Wyjął długopis i zaczął pisać szybko na odwrocie umowy. — Miesięczne raty byłyby wtedy niższe o pięćdziesiąt dwa pięćdziesiąt.

Zadzwonił wideofon.

— Gdybyśmy nie wrócili do mieszkania — rzekł Rick — gdybyśmy zostali na dachu, przy kozie, nie usłyszelibyśmy tego dzwonka.

— Czego się boisz? — zapytała Iran, idąc do aparatu. — Przecież jeszcze nie odbierają nam kozy. — Sięgnęła po słuchawkę.

— To z wydziału — stwierdził. — Powiedz im, że mnie nie ma. — Ruszył do sypialni.

— Halo — powiedziała Iran do słuchawki.

Trzy andki, pomyślał Rick, które powinienem był wytropić jeszcze dzisiaj, zamiast wracać do domu. Na ekranie pojawiła się twarz Harry'ego Bryanta, było więc już za późno, żeby się ukryć. Na zesztywniałych nagle nogach wrócił do aparatu.

— Tak, jest tutaj — mówiła Iran. — Kupiliśmy kozę. Proszę do nas wpaść, panie Bryant, i zobaczyć ją. — Przez chwilę słuchała w milczeniu, a potem oddała słuchawkę Rickowi. — Chce ci coś powiedzieć — rzekła. Wróciła do skrzynki empatycznej, usiadła i znowu zacisnęła w dłoniach dwa uchwyty. Zespoliła się niemal natychmiast. Rick stał ze słuchawką, uświadamiając sobie duchową nieobecność żony. I swoją samotność.

— Halo — odezwał się do słuchawki.

— Podjęliśmy trop dwóch pozostałych androidów — oznajmił Harry Bryant. Dzwonił ze swojego gabinetu. Rick widział znajome biurko, stosy dokumentów, jakichś papierów i chłamu. — Najwidoczniej zostały ostrzeżone, wyprowadziły się z miejsca, którego adres dostałeś od Davy'ego, i teraz znajdują się… Poczekaj. — Bryant zaczął szperać na swoim biurku, wreszcie znalazł potrzebny dokument.

Rick odruchowo sięgnął po pióro. Położył umowę zakupu kozy na kolanie i przygotował się do zapisywania.

— Budynek Conapt 3967-C — powiedział inspektor Bryant. — Jedź tam najszybciej jak zdołasz. Zakładamy, że wiedzą już o tych, które usunąłeś. O Garlandzie, Lubie i Polokovie. Dlatego właśnie podjęły tę bezprawną ucieczkę.

— Bezprawną — powtórzył Rick. Aby ocalić życie.

— Iran powiedziała, że kupiłeś kozę — rzekł Bryant. — Właśnie dzisiaj? Po pracy?

— Wracając do domu.

— Przyjadę obejrzeć kozę, kiedy usuniesz pozostałe androidy. A przy okazji: rozmawiałem dzisiaj z Dave'em. Powiedziałem mu o kłopotach, jakie ci sprawiły. Przekazał gratulacje i powiedział, żebyś był ostrożniejszy. Twierdzi, że Nexusy-6 są o wiele sprytniejsze, niż początkowo uważał. Prawdę mówiąc, nie może uwierzyć, że zdołałeś usunąć trzy jednego dnia.

— Trzy zupełnie wystarczą — powiedział Rick. — Dziś nie mogę już zrobić nic więcej. Muszę odpocząć.

— Do jutra uciekną — oświadczył inspektor Bryant. — Znajdą się poza naszą jurysdykcją.

— Nie tak szybko. Wciąż tu będą.

— Musisz tam pójść jeszcze dziś w nocy — stwierdził Bryant. — Zanim się tam obwarują. Nie spodziewają się tak szybkich działań.

— Mylisz się — rzekł Rick. — Będą na mnie czekały.

— Boisz się? Bo Polokov...

— Nie boję się — odparł Rick.   ·

— To o co chodzi?

— Dobra — powiedział Rick. — Pojadę tam. — Odjął słuchawkę od ucha.

— Daj mi znać, kiedy tylko coś załatwisz — Bryant jeszcze nie skończył. — Będę u siebie w gabinecie.

— Jeżeli je dopadnę, kupię sobie owcę.

— Przecież ją masz. Miałeś ją, odkąd cię poznałem.

— Jest elektryczna — wyjaśnił Rick. Odłożył słuchawkę. Tym razem to będzie prawdziwa owca, powiedział do siebie. Muszę ją mieć. Jako zadośćuczynienie.

Iran siedziała skulona przy czarnej skrzynce empatycznej. Twarz miała uduchowioną. Stanął przy niej i położył dłoń na jej piersi. Czuł, jak unosi się i opada, czuł pulsujące w niej życie. Żona zupełnie nie zdawała sobie sprawy z jego obecności. Jak zawsze jej więź z Mercerem stała się całkowita.

Na ekranie niewyraźna, okryta opończą, wiekowa postać Mercera pięła się z wysiłkiem pod górę. Nagle przeleciał koło niej kamień. Rick, przypatrując się temu, pomyślał nagle: Mój Boże. Sytuacja, w której się znalazłem, jest w jakimś sensie gorsza niż jego. Mercer nie musi robić niczego, co byłoby mu obce. Cierpi, ale przynajmniej nie musi gwałcić swojej osobowości.

Pochylił się i delikatnie zdjął palce żony z uchwytów. I sam zajął jej miejsce. Po raz pierwszy od wielu tygodni. Był to jakiś impuls, nie planował tego, wszystko zdarzyło się nagle.

Znalazł się w skąpo porośniętej okolicy, na pustkowiu. W powietrzu unosił się ostry zapach. Był na pustyni, która dawno już nie widziała deszczu.

Przed nim stał mężczyzna, z którego zmęczonych, przepełnionych bólem oczu wyzierało współczucie.

— Mercer — powiedział Rick.

— Jestem twoim przyjacielem — rzekł starzec. — Ale musisz dalej postępować tak, jakby mnie wcale nie było. Rozumiesz? — Rozłożył puste dłonie.

— Nie — odparł Rick. — Nie rozumiem. Potrzebuję pomocy.

— Jak mógłbym cię ocalić — rzekł starzec — skoro nie zdołałem ocalić sam siebie? — Uśmiechnął się. — Nie pojmujesz? Nie ma zbawienia.

— W takim razie po co to wszystko? — zapytał Rick. — Po co przyszedłeś?

— Abyś wiedział, że nie jesteś sam — odparł Wilbur Mercer. —

Jestem z tobą i zawsze będę. Idź i czyń swą powinność, nawet jeśli uważasz, że jest niesłuszna.

— Dlaczego? — zdziwił się Rick. — Dlaczego mam to robić? Porzucę pracę i wyemigruję.

— Będą od ciebie żądać, abyś czynił zło — wyjaśnił starzec — bez względu na to, gdzie się znajdziesz. Gwałt nad własną osobowością jest podstawowym warunkiem życia. W jakimś momencie musi to zrobić każda istota. To ostateczny mrok, klęska stworzenia. Oto działanie klątwy, która żywi się wszystkimi formami życia. Wszędzie we wszechświecie.

— Nic więcej nie masz mi do powiedzenia? — zapytał Rick.

W jego stronę poleciał kamień. Pochylił się i kamień uderzył go w ucho. Natychmiast puścił uchwyty i znowu znalazł się we własnym saloniku obok żony i skrzynki empatycznej. Głowa straszliwie bolała go po ciosie. Podniósł rękę do ucha i poczuł krew spływającą mu po twarzy wielkimi kroplami.

Iran chusteczką ocierała mu ucho.

— Chyba się cieszę, że mnie odsunąłeś — powiedziała. — Nie mogę wytrzymać, kiedy we mnie trafiają. Dziękuję, że przyjąłeś kamień zamiast mnie.

— Wychodzę — oznajmił Rick.

— Zadanie?

— Trzy zadania. — Wyjął z jej dłoni chusteczkę i podszedł do drzwi. Miał zawroty głowy i mdłości.

— Powodzenia — rzekła Iran.

— Trzymanie uchwytów nic mi nie dało — powiedział Rick. — Mercer mówił do mnie, ale to nie pomogło. Wie nie więcej niż ja. Jest po prostu starym człowiekiem, który wspina się na wzgórze, aby spotkać się ze śmiercią.

— Czy to nie objawienie?

— Dziś już doznałem objawienia — powiedział Rick, otwierając drzwi. — Zobaczymy się później. — Wyszedł na korytarz i zamknął drzwi za sobą. Conapt 3967-C, pomyślał, spoglądając na odwrotną stronę umowy. To na przedmieściach, opuszczone domy. Dobra kryjówka. Zdradzają ją jedynie światła w nocy. Tym właśnie będę się kierował. Światłami. Fototropizmem, jak ćma trupia główka. A potem już tego nie będzie. Zajmę się czymś innym, będę inaczej zarabiał na życie. Są przynajmniej trzy sposoby. Mercer ma rację, muszę przez to przejść. Ale, pomyślał, nie sądzę, by mi się to udało. Dwa andki za jednym razem to nie jest już problem moralny, ale techniczny.

Zapewne nie zdołam ich usunąć, uświadomił sobie. Nawet jeśli bardzo się postaram. Jestem zbyt zmęczony, zbyt wiele się dzisiaj zdarzyło. Może Mercer o tym wiedział, pomyślał Rick. Może wszystko przewidział.

Ale ja wiem, gdzie znaleźć pomoc. Proponowano mi ją, lecz jej nie chciałem.

Dotarł na dach i po chwili siedział już w ciemności w swoim hoverze i wybierał numer.

— Spółka Rosena — odezwała się dziewczyna z informacji.

— Rachael Rosen — powiedział.

— Słucham pana?

— Proszę połączyć mnie z Rachael Rosen.

— Czy panna Rosen spodziewa się…

— Na pewno — przerwał jej.

Czekał. Dziesięć minut później drobna, smagła twarz Rachael Rosen pojawiła się na ekranie.

— Witam, panie Deckard.

— Jesteś zajęta czy możemy porozmawiać? — zapytał. — Tak jak proponowałaś wcześniej? — Zupełnie nie miał wrażenia, że wydarzyło się to tego samego dnia. Odkąd po raz ostatni z nią rozmawiał, urodziły się i odeszły pokolenia. I cały ciężar, całe zmęczenie z tym związane skupiło się w jego ciele, czuł jego ciężar. Być może, pomyślał, to przez to uderzenie kamieniem. Otarł chusteczką ciągle krwawiące ucho.

— Masz zranione ucho — powiedziała Rachael. — To fatalnie.

— Naprawdę myślałaś, że do ciebie nie zadzwonię? — zapytał Rick. — Tak mówiłaś?

— Mówiłam — odparła Rachael — że beze mnie jeden z Nexusów-6 dopadnie cię, zanim ty dopadniesz jego.

— Myliłaś się.

— Ale dzwonisz. Mimo wszystko. Chcesz, żebym przyleciała do San Francisco?

— Dziś w nocy — rzekł.

— Och jest za późno. Przylecę jutro. To godzina drogi.

— Polecono mi załatwić je dziś w nocy. — Po chwili dodał: — Z ośmiu zostały już tylko trzy.

— Po głosie poznaję, że przeszedłeś ciężkie chwile.

— Jeżeli nie przylecisz dziś w nocy — powiedział — pójdę po nie sam i nie dam rady ich usunąć. Właśnie kupiłem kozę — dodał. — Za nagrody za trzy zlikwidowane andki.

— Ach wy, ludzie... — roześmiała się Rachael. — Kozy strasznie cuchną.

— Tylko kozły. Czytałem o tym w załączonej instrukcji.

— Naprawdę jesteś zmęczony — stwierdziła Rachael. — Wyglądasz na oszołomionego. Na pewno wiesz, co robisz, próbując zlikwidować jeszcze trzy Nexusy-6 tego samego dnia? Nikt dotąd nie usunął sześciu androidów w tak krótkim czasie.

— Franklin Powers — odparł Rick. — Jakiś rok temu, w Chicago. Usunął siedem.

— To był przestarzały model McMillan Y-4 — powiedziała Rachael. — Te są zupełnie inne. — Zamyśliła się. — Rick, nie mogę tego zrobić. Nawet jeszcze nie jadłam obiadu.

— Potrzebuję cię — powiedział. W przeciwnym razie umrę, pomyślał. Wiem to. Mercer to wie. Sądzę, że ty również. I prosząc cię, tracę tylko czas, doszedł do wniosku. Androida nie można prosić, nie ma się do czego odwoływać.

— Przykro mi, Rick — odparła Rachael. — Ale nie mogę przylecieć dziś w nocy. Musisz poczekać do jutra.

— Zemsta androida — powiedział Rick.

— Dlaczego?

— Ponieważ zdemaskowałem cię testem Voigta-Kampffa.

— Naprawdę tak myślisz? — zapytała, szeroko otwierając oczy. — Naprawdę?

— Do widzenia — odparł, zamierzając odłożyć słuchawkę.

— Posłuchaj — rzuciła Rachael. — Nie rozumujesz logicznie.

— Tak ci się wydaje, bo wy, Nexusy-6, jesteście sprytniejsze niż ludzie.

— Nie, ja naprawdę nic nie rozumiem — westchnęła Rachael. — Widzę, że nie chcesz wykonać dziś tego zadania, może w ogóle nie chcesz tego robić. Jesteś pewien, że mam ci pomóc usunąć trzy pozostałe androidy? Czy wolisz, żebym cię przekonała, abyś tego nie robił?

— Przyjedź tutaj — powiedział — i wynajmiemy pokój w hotelu.

— Po co?

— W związku z czymś, co dziś usłyszałem — powiedział ochrypłym głosem — na temat mężczyzn i żeńskich androidów. Przyleć dziś do San Francisco i dam spokój pozostałym andkom. Zrobimy coś innego.

Popatrzyła na niego, a potem powiedziała nagle:

— Dobrze. Przylecę. Gdzie się spotkamy?

— W St. Francis. To jedyny mniej więcej przyzwoity czynny hotel w rejonie Zatoki.

— I nie zrobisz nic, dopóki nie przyjadę.

— Będę siedział w pokoju hotelowym — oznajmił — i oglądał Przyjaznego Bustera w telewizji. Przez trzy ostatnie dni gościł Amandę Werner. Lubię ją. Mógłbym na nią patrzeć do końca życia. Ma piersi, które się uśmiechają. — Odłożył słuchawkę. Siedział, nie myśląc o niczym. W końcu panujący w hoverze chłód sprawił, że się ocknął. Przekręcił kluczyk w stacyjce i chwilę później skierował pojazd w stronę śródmieścia San Francisco. I hotelu St. Francis.

Rozdział XVI

Rick Deckard siedział w ogromnym, urządzonym z przepychem pokoju hotelowym i czytał maszynową kopię karty informacyjnej androidów Roya i Irmgard Batych. Dołączono do nich również wykonane przez teleobiektyw trójwymiarowe zdjęcia, nieostre, kolorowe odbitki, na których z trudem mógł coś rozpoznać. Stwierdził, że kobieta wygląda atrakcyjnie. Natomiast Roya Baty'ego uznał za coś zupełnie innego. Gorszego.

„Farmaceuta zamieszkały na Marsie" — przeczytał. Android prawdopodobnie wykorzystał tę profesję jako przykrywkę. W rzeczywistości zapewne był pracownikiem fizycznym albo rolnym — z aspiracjami do czegoś lepszego. Czy androidy marzą? — zadał sobie pytanie Rick. Prawdopodobnie. Dlatego od czasu do czasu zabijają swoich pracodawców i uciekają tutaj. Do lepszego życia, bez poddaństwa. Jak Luba Luft — żeby śpiewać *Don Giovanniego* i *Le Nozze di Figaro*, zamiast pracować na usianym kamieniami polu. Na nie nadającej się do zamieszkania kolonii planetarnej.

Deckard czytał:

Roy Baty ma wynikający z jego pseudoosobowości asertywny, wręcz agresywny sposób bycia. Powodowany mistycznymi ideami android ten zorganizował próbę masowej ucieczki, tłumacząc ją ideologicznym wymysłem na temat świętości tak zwanego życia androidów. Ponadto ukradł on narkotyki wywołujące stan świadomości grupowej i z nimi eksperymentował, a kiedy go schwytano, twierdził, że miał nadzieję doprowadzić androidy do grupowego przeżycia zbliżonego do merceryzmu, na razie dla nich nieosiągalnego.

To było żałosne. Twardy, zimny android, który ma nadzieję doświadczyć czegoś, co z powodu rozmyślnie zaprogramowanego defektu jest dlań niedostępne. Deckard nie potrafił szczególnie przejąć się Royem Batym. Na podstawie informacji Dave'a zaczął darzyć tego robota zdecydowaną niechęcią. Baty próbował doprowadzić do przeżywania więzi — a kiedy go zdemaskowano, doprowadził do zagłady wielu ludzi... i zorganizował ucieczkę na Ziemię. A teraz, właśnie dziś, zlikwidowano kolejne androidy z tej ósemki i zostały ich ledwie trzy. One zaś, najwybitniejsi członkowie nielegalnej grupy, również byli skazani na śmierć. Jeśli bowiem nawet on, Deckard, ich nie usunie, zrobi to ktoś inny. Czas i przemijanie, pomyślał. Cykl życia. Zmierzch. A potem cisza śmierci. Widział w tym skończenie doskonały mikrokosmos.

Drzwi pokoju hotelowego otworzyły się z hukiem.

— Co za lot! — rzuciła zdyszana Rachael Rosen. Miała na sobie długi, pokryty łuską płaszcz, a do kompletu szorty i stanik. Poza wielką ozdobną torebką, podobną do używanej przez listonoszy, niosła również papierową torbę. — Ładny pokój — powiedziała. Spojrzała na zegarek. — Niecała godzina. Bardzo dobry czas. Masz. — Wyciągnęła ku niemu papierową torbę. — Kupiłam whisky. Bourbona.

— Wciąż żyją najgorsi z całej ósemki — oświadczył Rick. Podał jej kartę informacyjną Roya Baty'ego.

Rachael postawiła papierową torbę i wzięła papiery.

— Już ich zlokalizowałeś? — zapytała.

— Mam numer budynku. To na przedmieściach, gdzie zapewne mieszka jeszcze paru zdegenerowanych specjali, głąbów i kurzych móżdżków, którzy robią to, co mieści się w ich koncepcji życia.

— Pokaż, co masz o pozostałej dwójce. — Rachael wyciągnęła rękę.

— Dwa żeńskie androidy. — Podał jej arkusze. Jeden dotyczył Irmgard Baty, drugi Pris Stratton.

Rachael spojrzała na ostatnią kartę.

— Och! — szepnęła. Rzuciła karty na ziemię, podeszła do okna i spojrzała w dół na śródmieście San Francisco. — Mam wrażenie, że to ostatnie cię zaskoczy. A może nie, może ci wszystko jedno. — Zbladła, a jej głos drżał. Niespodziewanie zaczęła sprawiać wrażenie wyprowadzonej z równowagi.

— O czym właściwie mówisz? — Podniósł karty i zaczął je uważnie czytać, zastanawiając się, co tak wzburzyło Rachael.

— Otwórzmy bourbona. — Przeszła z papierową torbą do łazienki, wzięła stamtąd dwie szklanki i wróciła. Wciąż sprawiała wrażenie roztargnionej, jakiejś niepewnej... i zamyślonej. Wy-

czuwał jej gwałtowny upadek ducha. Zmiana odmalowała się
na jej stężałej, spiętej twarzy. — Mógłbyś otworzyć? — spytała. —
Zdajesz sobie chyba sprawę, że kosztował mnie majątek. Nie
jest syntetyczny, pochodzi jeszcze sprzed wojny, zrobiony na
prawdziwym zacierze.

Wziął od niej butelkę, odkręcił nakrętkę i nalał bourbona do
dwóch szklaneczek.

— Powiedz mi, o co chodzi — poprosił.

— Powiedziałeś mi przez telefon — oznajmiła Rachael — że jeśli
przylecę dziś w nocy, dasz spokój trzem pozostałym andkom.
„Zrobimy coś innego", mówiłeś. Ale jesteśmy...

— Co cię dręczy? — zapytał.

Rachael spojrzała na niego wyzywająco i odparła:

— Zamiast wciąż opowiadać o tych trzech ostatnich Nexu-
sach-6, lepiej powiedz mi, co będziemy robili. — Rozpięła płaszcz
i powiesiła go w szafie. Dzięki temu Deckard po raz pierwszy
miał okazję dobrze się jej przyjrzeć.

Ponownie spostrzegł, że proporcje ciała Rachael są dość dziwne. Wielka masa ciemnych włosów sprawiała, że jej głowa wydawała się bardzo duża, a przy maleńkich piersiach szczupłe
ciało dziewczyny wyglądało niemal dziecięco. Lecz wielkie oczy
o wspaniałych rzęsach mogły należeć tylko do kobiety. Tu kończyło się podobieństwo z podrostkiem. Rachael stąpała zawsze
na przedniej części stopy, a opuszczone luźno ręce lekko uginała
w łokciach. Uświadomił sobie, że to postawa czujnego myśliwe-
go. Tak być może poruszał się kromaniończyk. Rasa wysokich
myśliwych, pomyślał. Żadnego nadmiaru ciała, płaski brzuch,
niewielkie pośladki i jeszcze mniejsze piersi. Rachael miała kla-
syczną celtycką budowę, anachroniczną i atrakcyjną. Jej szczupłe
nogi w szortach, bez dojrzałych, kobiecych krągłości, wyglądały

nijako, aseksualnie. Jednak ogólne wrażenie było bardzo dobre. Dziewczyna, nie kobieta. Jeśli zapomnieć o niespokojnych, mądrych oczach.

Upił łyk bourbona. Moc, zdecydowany smak i zapach alkoholu były tak obce, że miał kłopoty z przełykaniem. W przeciwieństwie do Rachael, której nie sprawiało to żadnych trudności. Usiadła na łóżku i z roztargnieniem wygładziła kapę. Znów była markotna. Rick postawił szklaneczkę na stoliku przy łóżku i usiadł obok niej. Materac ugiął się pod jego ciężarem i Rachael nieco zmieniła pozycję.

– Co ci się stało? – zapytał. Wyciągnął rękę i ujął jej dłoń. Była chłodna, koścista, lekko wilgotna. – Co cię dręczy?

– Ten ostatni, cholerny Nexus-6 – odparła z wysiłkiem – jest tego samego typu co ja. – Popatrzyła na kapę, znalazła nitkę i zaczęła nawijać ją na palec. – Nie czytałeś rysopisu? To również mój rysopis. Może mieć inaczej ułożone włosy, inaczej się ubierać, nawet nosić perukę... Ale kiedy ją zobaczysz, zrozumiesz, o co mi chodzi. – Roześmiała się sardonicznie. – To dobrze, że spółka przyznała, że jestem andkiem, w przeciwnym razie pewnie byś zwariował, gdybyś ujrzał Pris Stratton. Albo wziąłbyś ją za mnie.

– Dlaczego tak cię to martwi?

– Do diabła, przecież będę przy tym, jak ją usuniesz.

– Może nie. Może jej nie znajdę.

– Znam psychikę Nexusa-6. Dlatego jestem tutaj, dlatego mogę ci pomóc. Wszyscy ukryli się razem, troje ostatnich. Skupieni wokół najbardziej szalonego z nich, Roya Baty'ego. To on obmyśla ich ostatnią obronę. – Skrzywiła usta. – Jezu – szepnęła.

– Rozchmurz się – poprosił. Ujął ostry, drobniutki podbródek Rachael i uniósł jej głowę, tak że musiała na niego spojrzeć.

Ciekawe, jak to jest, kiedy całuje się androida, pomyślał. Pochylił się i dotknął ustami jej suchych warg. Nie było żadnej reakcji. Na Rachael nie wywarło to wrażenia. Zupełnie jakby nic nie czuła. Ale on wiedział, że jest inaczej. A może było to tylko jego pobożne życzenie?

— Szkoda — powiedziała Rachael. — Gdybyś się przyznał, że o to ci chodzi, nigdy bym tu nie przyleciała. Żądasz ode mnie zbyt wiele. Rozumiesz, co czuję? Co czuję do tego androida, do Pris?

— Empatię — odparł.

— Coś w tym rodzaju. Identyfikuję się z nią. Widzę w niej siebie. Na Boga, może się zdarzyć, że w tym zamieszaniu usuniesz mnie, nie ją. A ona wróci do Seattle i będzie żyć dalej na moim miejscu. Nigdy dotąd tak się nie czułam. Jesteśmy maszynami produkowanymi jak kapsle do butelek. To tylko złudzenie, że ja — ja sama — w ogóle istnieję. Jestem tylko przedstawicielką typu. — Wzdrygnęła się.

Ricka mimo wszystko rozbawiło to, że Rachael zrobiła się tak ckliwie ponura.

— Mrówki wcale tak tego nie odczuwają — powiedział. — A przecież są fizycznie identyczne.

— Mrówki. One w ogóle nie czują.

— Bliźniaki jednojajowe. One nie…

— Ale identyfikują się ze sobą. Łączy ich szczególna empatyczna więź. — Wstała i niepewnym ruchem sięgnęła po butelkę bourbona. Napełniła swoją szklaneczkę i wypiła duszkiem. Przez jakiś czas przechadzała się po pokoju, zmarszczywszy ponuro brwi, aż wreszcie znowu usiadła na łóżku. Położyła się na nim, podparta na poduszkach, i wyciągnęła nogi. — Zapomnij o tych trzech andkach — westchnęła ze znużeniem. — Jestem zupełnie wyczerpana, chyba tą podróżą. A po tym, czego się dzisiaj dowiedziałam, po prostu chce mi się spać. — Zamknęła oczy. — Jeżeli umrę — mruknęła — może urodzę się znowu, kiedy spółka Rosena wypuści następną serię mojego podtypu. — Otworzyła oczy i spojrzała na niego ze wściekłością. — Wiesz, dlaczego naprawdę tu jestem? — zapytała. — Dlaczego Eldon i inni Rosenowie — ludzie — chcieli, żebym dołączyła do ciebie?

— Żebyś obserwowała — odparł. — Dokładnie ustaliła, czym Nexus-6 zdradza się podczas testu Voigta-Kampffa.

— Podczas testu i w innych sytuacjach. Ważne jest wszystko, co decyduje o jego odmienności. Potem złożę raport, a spółka zmodyfikuje DNA. I będziemy mieli Nexusa-7. A kiedy złapią i jego, znowu zostanie zmodyfikowany i w końcu spółka zbuduje model, który będzie nie do odróżnienia od ludzi.

— Znasz test odruchów Bonelego? — zapytał.

— Pracujemy również nad górnymi zwojami nerwowymi rdzenia kręgowego. Któregoś dnia test Bonelego odejdzie w niepamięć. — Jej niewinny uśmiech przeczył słowom. Deckard nie potrafił ocenić, do jakiego stopnia Rachael mówi serio. Coś, co mogło wstrząsnąć światem, traktowała żartobliwie. Być może to cecha androidów, pomyślał. Brak świadomości emocjonalnej, wyczucia znaczenia wypowiadanych słów. Tylko pusta, formalna, intelektualna definicja oddzielnych pojęć.

A poza tym Rachael zaczęła się z nim drażnić. Niezauważenie przeszła od użalania się nad swoją sytuacją do prowokowania go nią.

— Niech cię licho — powiedział.

Rachael roześmiała się.

— Jestem pijana. Nie mogę iść z tobą. Jeżeli tam pójdziesz... — Zrobiła odmowny gest. — Zostanę tutaj, prześpię się, a potem mi opowiesz.

— Chyba że nie będzie tego potem— odparł — bo Roy Baty mnie załatwi.

— Ale ja i tak nie mogę ci pomóc, bo jestem pijana. W każdym razie znasz prawdę, twardą, gładką powierzchnię prawdy. Jestem obserwatorem i nie zrobię nic, żeby cię ocalić. Nie obchodzi mnie, czy Roy Baty cię załatwi. Obchodzi mnie, czy ktoś załatwi m n i e. — Otworzyła szeroko oczy. — Chryste, jestem empatyczna wobec samej siebie. I rozumiesz, jeżeli pojadę do tego walącego się podmiejskiego bloku... — Wyciągnęła rękę i zaczęła się bawić guzikiem jego koszuli. Odpinała go wolno i leniwie. — Nie ośmielę się iść, bo androidy nie są lojalne wobec siebie i wiem, że ta przeklęta Pris Stratton zniszczy mnie i zajmie moje miejsce. Rozumiesz? Zdejmij marynarkę.

— Po co?

— Żebyśmy mogli pójść do łóżka.

— Kupiłem czarną kozę nubijską — powiedział Rick. — Muszę usunąć jeszcze trzy andki. Muszę wykonać zadanie i wrócić do domu, do żony. — Wstał, okrążył łóżko i podszedł do stolika, na którym stała butelka bourbona. Uważnie nalał sobie kolejnego drinka i zauważył, że trzęsą mu się ręce. Pewnie ze zmęczenia, pomyślał. Uświadomił sobie, że oboje są wykończeni. Zbyt wyczerpani, aby polować na trzy andki. I to te najgorsze z całej ósemki.

Stojąc tak, uświadomił sobie nagle, że ogarnął go niepohamowany lęk przed przywódcą androidów. Wszystko sprowadzało się do Baty'ego — od początku. Do tej pory napotykał i usuwał jedno po drugim coraz groźniejsze wcielenia Baty'ego. A teraz przyszła pora na niego samego. Czuł, jak narasta w nim lęk. Coraz silniejszy, odkąd dopuścił go do swojej świadomości.

— Nie mogę teraz iść bez ciebie — powiedział do Rachael. —

Nie mogę nawet stąd wyjść. Polokov polował na mnie, Garland na dobrą sprawę też.

— Myślisz, że Roy Baty też będzie cię szukał? — Odstawiła pustą szklankę, pochyliła się lekko i sięgnąwszy za plecy, rozpięła stanik. Zsunęła go zgrabnie i siedziała teraz, kołysząc się i uśmiechając. — W torebce — powiedziała — mam produkowane przez nasze automatyczne fabryki na Marsie urządzenie zabez... — skrzywiła się — urządzenie zabezpieczające przed standardowymi badaniami kontrolnymi andka. Wyjmij je. Przypomina ostrygę.

Zaczął grzebać w jej torbie. Jak prawdziwa kobieta, Rachael miała w niej mnóstwo najprzeróżniejszych przedmiotów. Poszukiwania zdawały się ciągnąć w nieskończoność.

W tym samym czasie Rachael zrzuciła buty i rozpięła szorty. Zsunęła je i stojąc na jednej nodze, odrzuciła stopą w drugi koniec pokoju. Potem upadła na łóżko, sięgnęła po szklankę, ale potrąciła ją i zrzuciła na dywan.

— Cholera — powiedziała i niepewnie podniosła się z łóżka. Stała w samych figach i przyglądała się, jak Deckard szpera w jej torebce. Potem bardzo ostrożnie odwinęła kołdrę, położyła się i przykryła.

— O to chodzi? — Wyjął metalową kulę ze sterczącym przyciskiem.

— Wprowadza androidy w stan katalepsji — powiedziała Rachael z zamkniętymi oczyma. — Na kilka sekund. Wstrzymuje oddychanie. Twoje również, ale ludzie przez taki czas mogą działać, nie oddychając. Natomiast nerw błędny androida...

— Wiem. — Wyprostował się. — Układ nerwowy androida nie potrafi się elastycznie włączać i wyłączać. Ale powiedziałaś, że to trwa nie dłużej niż pięć czy sześć sekund.

— Wystarczy — mruknęła Rachael — żeby ocalić ci życie. Tak więc… — otworzyła oczy i usiadła na łóżku — jeśli Roy Baty się tu pojawi, możesz wziąć to urządzenie i nacisnąć guzik. A kiedy Roy Baty znieruchomieje, krew przestanie dostarczać tlen i jego komórki mózgowe zaczną się rozkładać, będziesz mógł go zabić ze swojego lasera.

— Masz laser w torebce — zauważył.

— Atrapa. Androidy… — ziewnęła, znowu miała zamknięte oczy — nie mają prawa nosić laserów.

Podszedł do łóżka.

Wiercąc się w pościeli, Rachael zdołała wreszcie przewrócić się na brzuch i wtuliła twarz w poszwę kołdry.

— To czyste, szlachetne, dziewicze łoże — oznajmiła. — Jedynie czysta, szlachetna dziewczyna, która… — Zamyśliła się. — Androidy nie mogą mieć dzieci — powiedziała. — Czy nie szkoda?

Skończył ją rozbierać. Odsłonił blade, chłodne uda.

— Czy nie szkoda? — powtórzyła Rachael. — Właściwie nie wiem. Trudno mi ocenić. Co się czuje, gdy ma się dziecko? Co się czuje, jeżeli już o tym mowa, kiedy jest się rodzonym? My się nie rodzimy, nie dorastamy. Zamiast umierać z powodu choroby czy starości zużywamy się jak mrówki. Znowu mrówki. Tym właściwie jesteśmy. Nie ty, mówię o sobie. Pokryte chityną, funkcjonujące dzięki odruchom maszyny, które na dobrą sprawę wcale nie żyją. — Obróciła głowę na bok i powiedziała głośno: — Ja nie żyję! Nie idziesz do łóżka z kobietą. Ale nie bądź rozczarowany, dobrze? Czy kiedykolwiek kochałeś się już z androidem?

— Nie — odparł, zdejmując krawat i koszulę.

— Wiem… to znaczy słyszałam… że nie ma z tym problemów, jeżeli nie myślisz zbyt wiele. Ale jeśli to zrobisz, jeśli zaczniesz się nad tym zastanawiać — nic z tego nie wyjdzie. Z... hmm... powodów fizjologicznych.

Pochylił się i pocałował ją w nagie ramię.

— Dziękuję, Rick — powiedziała słabo. — Ale pamiętaj, nie myśl o tym, tylko rób. Nie przerywaj i nie filozofuj, bo z filozoficznego punktu widzenia to koszmar. Dla nas obojga.

— Potem mimo wszystko mam zamiar poszukać Roya Baty'ego — odezwał się. — Będę cię jeszcze potrzebował. Wiem, że w torebce jest...

— Myślisz, że usunę jednego andka za ciebie?

— Myślę, że wbrew temu, co powiedziałaś, pomożesz mi, jak tylko zdołasz. W przeciwnym razie nie leżałabyś w tym łóżku.

— Kocham cię — oświadczyła Rachael. — Gdybym weszła do pokoju i zobaczyła sofę obitą twoją skórą, na pewno miałabym bardzo wysoki odczyt w teście Voigta-Kampffa.

Dziś w nocy, pomyślał, wyłączając nocną lampkę, usunę Nexusa-6, który wygląda dokładnie jak ta naga dziewczyna. Dobry Boże, pomyślał, robię to, o czym mówił Phil Resch. Najpierw idź z nią do łóżka, przypomniał sobie. A potem zabij.

— Nie mogę tego zrobić — powiedział, cofając się.

— Chciałabym, żebyś mógł — odparła drżącym głosem Rachael.

— Nie chodzi o ciebie. Mówię o Pris Stratton, o tym, co muszę z nią zrobić.

— Nie jesteśmy takie same. Nie obchodzi mnie Pris Stratton. Posłuchaj. — Rachael gwałtownie usiadła na łóżku. W mroku majaczyło jej szczupłe, niemal pozbawione biustu ciało. — Chodź ze mną do łóżka, a ja usunę Stratton. Dobrze? To nie do wytrzymania, dojść tak blisko i...

— Dziękuję — powiedział. Czuł, jak wzbiera w nim wdzięczność, niewątpliwie wywołana bourbonem, jak zaciska mu gardło. Tylko dwa, pomyślał. Muszę usunąć tylko dwa, tylko Batych. Czy Rachael rzeczywiście to zrobi? Chyba tak. Androidy tak właśnie myślą i działają. Ale nigdy dotąd nie zetknął się z czymś podobnym.

— Do licha, chodź do łóżka — rzuciła Rachael.

Zrobił to.

Rozdział XVII

Potem pozwolili sobie na wielki luksus. Rick zamówił do pokoju kawę. Siedział długo w fotelu pokrytym zielono-czarnym obiciem w złote listki, popijał kawę i myślał o czekających go następnych kilku godzinach. Rachael popiskiwała i mruczała, pluskając się pod gorącym prysznicem.

— Ubiłeś ze mną dobry interes — powiedziała, wyłączywszy wodę. Pojawiła się w drzwiach łazienki mokra, naga i różowa, z włosami ściągniętymi gumką. — My, androidy, nie potrafimy opanować naszych fizycznych namiętności. Pewnie o tym wiesz. Moim zdaniem wykorzystałeś mnie. — Jednak nie robiła wrażenia rozgniewanej. Na dobrą sprawę zachowywała się wesoło i z całą pewnością równie po ludzku jak każda dziewczyna, którą dotąd poznał. — Czy rzeczywiście musimy wytropić te trzy andki tej nocy?

— Tak — odparł. Ja usunę dwa, pomyślał, a ty jednego. Ubił interes, jak określiła to Rachael.

Owijając się wielkim białym ręcznikiem, zapytała:

— Było ci dobrze?

— Tak.

— Czy kiedyś jeszcze pójdziesz do łóżka z androidem?

— Jeżeli będzie dziewczyną. Jeżeli będzie przypominała ciebie.

— Wiesz, jak długo żyje taki humanoidalny robot jak ja? — zapytała Rachael. — Funkcjonuję już dwa lata. Jak myślisz, ile mi jeszcze zostało?

— Około dwóch — odparł po krótkim wahaniu.

— Nigdy nie uda mi się rozwiązać problemu. Chodzi mi o reprodukcję komórek. Permanentną, przynajmniej częściowo. No cóż. — Zaczęła energicznie wycierać się ręcznikiem. Jej twarz znowu stała się całkowicie beznamiętna.

— Przykro mi — powiedział.

— Do diabła — rzuciła ostro — żałuję, że o tym wspomniałam. W każdym razie powstrzymuje to ludzi od uciekania i życia z androidami.

— Czy to dotyczy także Nexusa-6?

— Problem leży w przemianie materii, nie w mózgu. — Zebrała swoje rzeczy i zaczęła się ubierać.

Rick również. A potem, prawie nie odzywając się do siebie, wjechali na dach, gdzie sympatyczny, ubrany na biało pracownik garażu zaparkował jego hovera.

Gdy lecieli ku przedmieściom San Francisco, Rachael powiedziała:

— Przyjemna noc.

— Moja koza pewnie już śpi — rzekł. — A może kozy prowadzą nocny tryb życia? Niektóre zwierzęta nigdy nie śpią. Owca nigdy nie spała. W każdym razie nie zauważyłem tego. Za każdym razem, kiedy na nią patrzyłem, odpowiadała spojrzeniem. Czekała, aż ją nakarmię.

— Jaka jest twoja żona?

Nie odpowiedział.

— Czy ty...

— Gdybyś nie była androidem — przerwał jej Rick — gdybym mógł się z tobą ożenić, zrobiłbym to.

— Albo żylibyśmy w grzechu. Z tą tylko różnicą, że ja nie jestem żywa — stwierdziła Rachael.

— Z prawnego punktu widzenia nie. Ale naprawdę, w rzeczywistości, jesteś. Biologicznie. Nie wykonano cię z tranzystorowych obwodów jak sztuczne zwierzę, jesteś istotą organiczną. — A za dwa lata, pomyślał, zużyjesz się i umrzesz. Bo jak sama wspomniałaś, nigdy nie uda się rozwiązać problemu reprodukcji komórek. Tak więc, jak sądzę, nie ma to znaczenia.

Nadszedł mój koniec, pomyślał. Koniec jako łowcy. Po Batych nie będzie już następnych. Po tej nocy.

— Wyglądasz na bardzo smutnego — powiedziała Rachael.

Wyciągnął rękę i dotknął jej policzka.

— Nie będziesz już mógł polować na androidy — stwierdziła spokojnie. — Więc się nie smuć. Proszę.

Popatrzył na nią.

— Żaden łowca, który był ze mną, nie potrafił do tego wrócić — powiedziała Rachael. — Poza jednym. Straszny cynik. Phil Resch to świr. Pracuje na własną rękę.

— Rozumiem — odezwał się Rick. Był jak odrętwiały. Całkowicie.

— Ale nie pojedziesz tam na próżno — rzekła Rachael — bo spotkasz wspaniałego, uduchowionego mężczyznę.

— Roya Baty'ego — powiedział. — Znasz ich wszystkich?

— Znałam ich wszystkich, gdy jeszcze istnieli. A teraz znam troje. Próbowaliśmy powstrzymać cię dzisiaj rano, zanim zacząłeś realizować listę Davy'ego Holdena. Próbowałam ponownie, tuż przed tym, jak dotarł do ciebie Polokov. Później jednak musiałam czekać.

— Do czasu, aż się załamałem — stwierdził. — I musiałem do ciebie zadzwonić.

— Luba Luft i ja niemal od dwóch lat byłyśmy bardzo bliskimi przyjaciółkami. Co o niej myślisz? Podobała ci się?

— Bardzo.

— Ale ją zabiłeś.

— Zabił ją Phil Resch.

— Och, a więc to Phil Resch towarzyszył ci, kiedy wróciłeś do opery. Nie wiedzieliśmy o tym. Właśnie wtedy urwała się nam łączność. Wiedzieliśmy tylko, że została zabita. Oczywiście przypuszczaliśmy, że ty to zrobiłeś.

— Sądzę — powiedział — że korzystając z notatek Dave'a, mimo wszystko będę mógł usunąć Roya Baty'ego. Ale może mi się nie udać z Irmgard Baty. — I Pris Stratton, pomyślał. Nawet teraz, gdy wiem o tym. — A więc wszystko, co zdarzyło się w hotelu — rzekł — było…

— Spółka — przerwała mu Rachael — chciała dotrzeć do łowców zarówno tutaj, jak i w Związku Radzieckim. Mieliśmy wrażenie, że metoda skutkuje… z powodów, których do końca nie rozumieliśmy. Chyba przez nasze ograniczenia.

— Wątpię, by działało to równie często i dobrze, jak twierdzisz — oznajmił ochrypłym głosem.

— Ale z tobą się udało.

— Zobaczymy.

— Ja to już wiem — odparła Rachael. — Kiedy zobaczyłam wyraz twojej twarzy, ten żal. Czekałam na niego.

— Jak często to robiłaś?

— Nie pamiętam. Siedem, może osiem razy. Nie, myślę, że dziewięć. — Skinęła, a może raczej skinęło, głową. — Tak, dziewięć.

— Cały ten pomysł jest staroświecki — stwierdził Rick.

Rachael drgnęła zaskoczona i spytała:

— C-co?

Rick lekko odepchnął kierownicę i hover zaczął opadać.

— Albo tak mi się wydaje. Mam zamiar cię zabić — oświadczył. — A potem pójdę sam po Roya, Irmgard Baty i Pris Stratton.

— Dlatego lądujesz? — I dodała z niepokojem. — Za to grozi grzywna. Jestem własnością, prawną własnością spółki, a nie zbiegłym androidem, który uciekł z Marsa. Nie należę do tej samej kategorii co pozostałe.

— Ale jeżeli zdołam cię zabić, zdołam też zabić pozostałych — stwierdził Rick.

Jej dłonie zniknęły nagle w przepełnionej chłamem torbie. Szukała gorączkowo, w końcu zrezygnowała.

— Do diabła z nią! — rzuciła wściekle. — Nigdy nie mogę niczego w niej znaleźć. Zabijesz mnie tak, żeby nie bolało? Postaraj się. Nie będę się opierać, dobrze? Obiecuję, że nie będę walczyć. Zgadzasz się?

— Teraz rozumiem, dlaczego Phil Resch to powiedział — stwierdził Rick. — Wcale nie był cyniczny. Po prostu zbyt wiele doświadczył. Po tym wszystkim... Nie mogę go winić. To mu skrzywiło psychikę.

— Ale nie tak, jak miało. — Sprawiała już wrażenie całkiem opanowanej, w środku jednak wciąż była spięta, rozgorączkowana. Mimo to czarny płomień zgasł, opuszczały ją siły życiowe, jak to widział u innych androidów. Klasyczna rezygnacja. Mechaniczna, intelektualna akceptacja tego, z czym prawdziwy organizm po dwóch miliardach lat ewolucji i związanej z nią walki o życie nigdy by się nie pogodził.

— Nie znoszę tego, jak wy, androidy, się poddajecie — powiedział wściekły. Hover niemal dotarł już do ziemi i Rick musiał ściągnąć sterownicę, aby go nie rozbić. Włączył hamulce i maszyna, zakołysawszy się, zatrzymała się z poślizgiem. Wyłączył silnik i wyciągnął laser.

— W potylicę, w podstawę czaszki — poprosiła Rachael. — Proszę. — Obróciła się, żeby nie patrzeć na pistolet. Aby promień poraził ją niespodziewanie.

Rick schował laser i powiedział:

— Nie mogę zrobić tego, co radził Phil Resch. — Włączył silnik i po chwili znów byli w powietrzu.

— Jeżeli masz zamiar mnie zabić — rzekła Rachael — zabij mnie teraz. Nie każ mi czekać.

— Nie zabiję cię. — Lecieli znowu w kierunku śródmieścia San Francisco. — Twój hover jest w St. Francis, prawda? Wysadzę cię tam i możesz lecieć do Seattle. — To było wszystko, co miał do powiedzenia. Dalej prowadził w milczeniu.

— Dziękuję, że mnie nie zabiłeś — odezwała się po chwili Rachael.

— Do diabła. Powiedziałaś, że i tak masz przed sobą tylko dwa lata życia. A ja pięćdziesiąt. Będę żył dwadzieścia pięć razy dłużej niż ty.

— Ale mną gardzisz — stwierdziła. — Za to, co zrobiłam. — Wróciła jej pewność siebie. Słowa coraz szybciej płynęły z jej ust. — Postępujesz tak samo jak inni łowcy, którzy byli przed tobą. Za każdym razem wpadają w furię i jak szaleni opowiadają, że mnie zabiją, ale kiedy mają to zrobić, nie mogą. Zupełnie jak ty teraz. — Zapaliła papierosa i zaciągnęła się z rozkoszą. — Zdajesz sobie sprawę, co to znaczy? Że miałam rację. Nie będziesz już mógł usunąć żadnego androida. Nie tylko mnie, ale też Batych i Stratton. Jedź więc do domu, do swojej kozy. I odpocznij trochę. — Gwałtownie otrzepała płaszcz. — Ojej! Spadł mi żar z papierosa. No, już po wszystkim. — Rozparła się wygodnie w fotelu.

Nic nie odpowiedział.

— Ta koza... — znowu zaczęła Rachael. — Kochasz ją bardziej niż mnie. I pewnie bardziej niż żonę. Najpierw koza, potem żona, a potem cała reszta... — Zachichotała wesoło. — Można się z tego tylko śmiać.

Nie odpowiedział. Przez jakiś czas lecieli w milczeniu i wreszcie Rachael zaczęła się rozglądać, dostrzegła radio i włączyła je.

— Wyłącz — polecił jej Rick.

— Wyłączyć Przyjacielskiego Bustera i jego Przyjacielskich Przyjaciół? Wyłączyć Amandę Werner i Oscara Scruggsa? Pora wysłuchać wielkiego, sensacyjnego oświadczenia Bustera, które wreszcie wygłosi lada chwila. — Pochyliła się i podsunęła zegarek pod światło padające z radia. — Już wkrótce. Wiedziałeś? Mówił na ten temat, przygotowywał wszystko do...

Głos z radia oznajmił:

— I chcę wam powiedzieć, kochani, że siedzę z moim phyjacielem Bustehem, hozmawiamy i doskonale się bawimy, czekając z nieciehpliwością na zblihające się z kahdym dhgnieniem wskazówki zegaha coś, co jak wiemy, jest naaajwahniejszym oświadczeniem w...

Rick wyłączył radio.

— Oscar Scruggs — powiedział. — Głos inteligentnego mężczyzny.

Rachael natychmiast włączyła radio.

— Chcę słuchać. Mam zamiar słuchać. To, co Buster ma nam powiedzieć dziś wieczór, jest ważne. — Kretyński głos znowu zaczął bełkotać w głośniku i Rachael usadowiła się wygodnie.

W ciemności żar jej papierosa świecił jak odwłok zadowolonego świetlika. Niewzruszony znak wygranej Rachael Rosen. Zwycięstwa nad nim.

Rozdział XVIII

— Przynieś tu resztę moich rzeczy — poleciła Pris J.R. Isidore'owi. — Zwłaszcza telewizor. Żebyśmy mogli wysłuchać oświadczenia Bustera.

— Tak — potwierdziła Irmgard Baty. Błyszczały jej oczy i sprawiała wrażenie ruchliwego, zadowolonego z siebie ptaka. — Musimy mieć telewizor. Długo czekaliśmy na to dzisiejsze oświadczenie, a wkrótce się ono zacznie.

— Mój odbiornik ma tylko kanał rządowy — oświadczył Isidore.

Usadowiony w kącie salonu w głębokim fotelu, jakby chciał zostać w nim na stałe, Roy Baty beknął i odezwał się cierpliwym, wyrozumiałym tonem:

— Chcemy oglądać Przyjacielskiego Bustera i jego Przyjacielskich Przyjaciół, Iz. A może wolisz, żebym nazywał cię J.R.? Tak czy owak zrozumiałeś? Pójdziesz po telewizor?

Isidore poszedł samotnie pustym, dudniącym echem jego kroków korytarzem ku schodom. Wciąż przepełniało go szczęście, poczucie istnienia — po raz pierwszy w swoim nudnym życiu czuł się przydatny. Teraz inni polegają na mnie, cieszył się, schodząc piętro niżej po zakurzonych schodach.

I będzie miło, pomyślał, znowu zobaczyć Przyjacielskiego Bustera w telewizorze, a nie tylko słuchać go przez radio ciężarówki. Rzeczywiście, przypomniał sobie. Buster ma dziś wieczorem wygłosić starannie udokumentowane oświadczenie. A więc dzięki Pris, Irmgard i Royowi on, J.R. Isidore, obejrzy coś, co będzie najważniejszą wiadomością, jaką nam przekażą od wielu lat. I co ty na to? — powiedział do siebie.

Dla J.R. Isidore'a życie nabrało rumieńców.

Wszedł do dawnego mieszkania Pris, odłączył telewizor z sieci i wyciągnął wtyczkę anteny. Natychmiast wszystko przeniknęła cisza. Jego ręce odrętwiały. Czuł, jak z dala do Batych i Pris zaczyna zanikać, staje się zupełnie jak ten martwy telewizor, który właśnie wyłączył. Musisz być z innymi ludźmi, pomyślał. Po to, żeby w ogóle przeżyć. Zanim się tu pojawili, mogłem znieść to, że jestem sam w całym budynku. Teraz jednak wszystko się zmieniło. Nie możesz do tego wrócić, napomniał się w duchu. Nie możesz przejść od ludzi do nieludzi. Jestem od nich zależny, pomyślał nagle ogarnięty paniką. Dzięki Bogu, że zostają.

Uznał, że przeniesienie rzeczy Pris na górę wymaga dwóch kursów. Postanowił, że najpierw zabierze telewizor, a dopiero potem walizki i pozostałe ubrania.

Po kilku minutach telewizor stał już w jego mieszkaniu. Czując ból w palcach, postawił aparat na stoliku w salonie. Irmgard, Roy i Pris przyglądali się temu beznamiętnie.

— Mamy tu dobry sygnał — wysapał, podłączając aparat do

prądu i anteny. — Kiedy odbierałem Przyjacielskiego Bustera i jego...

— Po prostu włącz telewizor — polecił Roy Baty. — I przestań mówić.

Zrobił, jak mu kazano, i pośpieszył do drzwi.

— Jeszcze jeden kurs i koniec — powiedział. Zwlekał z wyjściem, grzejąc się w cieple ich obecności.

— Doskonale — odparła zadowolona Pris.

Isidore ponownie ruszył na dół. Chyba trochę mnie wykorzystują, pomyślał. Ale nie dbał o to. W dalszym ciągu są dla mnie dobrymi przyjaciółmi, pomyślał.

Gdy znów zszedł piętro niżej, zebrał wszystkie rzeczy dziewczyny, włożył je do walizki i ciężkim krokiem ponownie ruszył korytarzem i schodami na górę.

Na stopniu przed nim poruszyło się coś niewielkiego.

Natychmiast puścił walizkę, wyciągnął maleńką plastykową buteleczkę po lekarstwach, którą jak wszyscy miał zawsze przy sobie na wypadek takiej właśnie okazji. Pająk — niepozorny, ale żywy. Drżącymi rękami zapędził go do buteleczki i starannie zamknął podziurawioną igłą pokrywkę.

Na górze, w drzwiach mieszkania, zatrzymał się, aby złapać oddech.

— ...tak, kochani, nadeszła pora. Mówi Przyjacielski Buster, który ma nadzieję i wierzy, że równie mocno jak ja chcecie poznać moje odkrycie, które potwierdzili najwybitniejsi badacze pracujący przez wiele godzin w ubiegłym tygodniu. Hej, hej, kochani. To jest to!

— Znalazłem pająka — powiedział John Isidore.

Trzy androidy natychmiast przeniosły wzrok z telewizora na niego.

— Pokaż go — poleciła Pris, wyciągając rękę.

— Nie gadajcie, kiedy mówi Buster — warknął Roy Baty.

— Nigdy nie widziałam pająka — oznajmiła Pris. Trzymała buteleczkę w obu dłoniach, obserwując zamknięte w niej stworzenie. — Tyle nóg. Po co mu tyle nóg, J.R.?

— Takie właśnie są pająki — wyjaśnił Isidore. Łomotało mu serce, z trudem oddychał. — Mają osiem nóg.

— Wiesz, co mi się zdaje, J.R.? — zapytała Pris, wstając. — Że on nie potrzebuje tylu nóg.

— Osiem? — przyłączyła się do niej Irmgard Baty. — Nie wystarczyłyby mu cztery? Obetnijmy je i sprawdźmy. — Niecierpliwie otworzyła torebkę i wyjęła z niej czyste, ostre nożyczki do paznokci. Podała je Pris.

J.R. Isidore'a sparaliżował strach.

Pris zaniosła buteleczkę do kuchni i usadowiła się przy stole. Zdjęła pokrywkę i wyrzuciła pająka na blat.

— Pewnie nie będzie już tak szybko biegał — powiedziała — ale i tak nie miałby tu nic do złapania. Nie przeżyłby. — Sięgnęła po nożyczki.

— Proszę… — odezwał się Isidore.

Popatrzyła na niego pytająco.

— Czy jest coś wart?

— Nie męcz go — powiedział błagalnie.

Pris odcięła nożyczkami jedną nogę pająka.

W saloniku Przyjacielski Buster oznajmił z ekranu telewizora:

— Popatrzcie na powiększenie fragmentu tła. To niebo, które zazwyczaj widzimy. Poczekajcie, poproszę Earla Parametera, kierownika mojego zespołu badawczego, żeby przedstawił wam to wstrząsające odkrycie.

Pris, przytrzymując pająka kantem dłoni, obcięła mu kolejną nogę. Uśmiechała się.

— Powiększenia tych kadrów — oznajmił nowy głos z telewizora — poddane dokładnym badaniom laboratoryjnym świadczą, że szare niebo i widoczny w dzień księżyc, na których tle porusza się Mercer, są nie tylko ziemskie — są sztuczne.

— Wszystko przegapisz! — z niepokojem zawołała Irmgard do Pris. Wbiegła do kuchni, zobaczyła, co robi Pris, i powiedziała: — Zajmiesz się tym później. To ważne, o czym mówią. Dowodzi, że wszystko, w co wierzyliśmy...

— Cicho — rzucił Roy Baty.

— ...jest prawdą — dokończyła Irmgard.

Głos z telewizora kontynuował:

— „Księżyc" jest namalowany. W powiększeniu, które widzicie państwo na ekranie, widać ślady pędzla. Mamy również dowody, że skąpa roślinność i sterylna gleba — a być może i kamienie ciskane w Mercera przez niewidzialne osoby — są równie fałszywe. Niewykluczone też, że te „kamienie" zostały wykonane z miękkiego plastyku i nie powodują prawdziwych ran.

— Innymi słowy — wtrącił Przyjacielski Buster — Wilbur Mercer wcale nie cierpi.

Kierownik grupy badawczej powiedział:

— Wreszcie udało się nam wytropić byłego hollywoodzkiego specjalistę od efektów specjalnych. Pan Wade Cortot, który ma w tej dziedzinie wieloletnie doświadczenie, stanowczo oświadcza, że „Mercerem" może być jakiś drugoplanowy aktor przechodzący przez studio filmowe. Cortot posunął się nawet do stwierdzenia, że poznaje to studio, i oznajmił, iż wykorzystywał je nie działający już w branży producent filmowy, z którym Cortot prowadził rozmaite interesy kilkadziesiąt lat temu.

— Zatem według Cortota — znowu wtrącił Buster — właściwie nie ma wątpliwości.

Pris obcięła już pajączkowi trzy nogi. Stworzenie pełzało żałośnie po stole, szukając drogi ucieczki. Nie znalazło jej.

— Mówiąc szczerze, uwierzyliśmy Cortotowi — oznajmił suchym, pedantycznym tonem kierownik grupy naukowej Bustera — i poświęciliśmy wiele czasu na badania zdjęć drugoplanowych aktorów zatrudnionych kiedyś w nie istniejącym już hollywoodzkim przemyśle filmowym.

— I znaleźliście...

— Posłuchajcie tego... — powiedział Roy Baty.

Irmgard nie odrywała oczu od ekranu, a Pris przestała się znęcać nad pajączkiem.

— Po przestudiowaniu wielu tysięcy zdjęć odnaleźliśmy bardzo starego człowieka o nazwisku Al Jarry, który grał szereg drugoplanowych ról w przedwojennych filmach. Wysłaliśmy zespół z naszego laboratorium do domu Jarry'ego w East Harmony w Indianie. Poproszę jednego z członków tego zespołu, aby opisał, co tam odkryto. — Chwila ciszy, a potem nowy głos, równie monotonny jak poprzedni. — Nędzny i rozsypujący się dom przy Lark Avenue w East Harmony stoi na skraju miasta, gdzie nie mieszka nikt poza Alem Jarrym. Zostaliśmy uprzejmie poproszeni do środka i usadowieni w zatęchłym, pełnym pajęczyn, zachłamionym saloniku. Telepatycznie zbadałem zamglony, zaśmiecony i leniwy umysł siedzącego przede mną Ala Jarry'ego.

— Słuchajcie — oznajmił Roy Baty. Siedział na skraju fotela, jakby szykował się do skoku.

— Przekonałem się — ciągnął technik — że ten starzec wykonał serię krótkich, piętnastominutowych filmów dla zleceniodawcy, którego nigdy nie widział. Tak jak zakładaliśmy, „kamienie" rzeczywiście były wykonane z przypominającego gumę plastyku. Rozlaną „krew" imitował keczup, a... — technik zachichotał — jedyne cierpienia pana Jarry'ego, wiązały się z tym, że cały dzień musiał się obyć bez whisky.

— Al Jarry — rzekł Buster, którego twarz znowu pojawiła się na ekranie. — Proszę, proszę. Starzec, który nigdy nie dokonał niczego, co zasługiwałoby na jego lub nasz szacunek. Al Jarry nakręcił nudny, pełen powtórek film, a właściwie serię filmów, dla nie znanej nam osoby. Na razie nie znanej. Praktykujący merceryzm często twierdzą, że Wilbur Mercer nie jest człowiekiem, że to w gruncie rzeczy archetypiczna wyższa istota, pochodząca być może z innej gwiazdy. No cóż, w pewnym sensie to prawda. Wilbur Mercer nie jest człowiekiem, bo w gruncie rzeczy nie istnieje. Świat, w którym odbywa swoją wspinaczkę, to tanie hollywoodzkie studio, które przed wielu laty zostało pogrzebane w chłamie. Któż więc rozpowszechnił tę bujdę w Układzie Słonecznym? Pomyślcie trochę nad tym, kochani.

— Może nigdy się nie dowiemy — mruknęła Irmgard.

— Może nigdy się nie dowiemy — stwierdził Buster. — Być może nigdy nie poznamy celu tego oszustwa. Tak, kochani, oszustwa. M e r c e r y z m j e s t o s z u s t w e m!

— Myślę, że wiemy — rzekł Roy Baty. — To oczywiste. Merceryzm pojawił się...

— Zastanówcie się jednak nad tym — ciągnął Przyjacielski Buster. — Zadajcie sobie pytanie, co daje merceryzm. No cóż, jeśli wierzyć jego licznym wyznawcom, to czego doświadczają, sprawia...

— To występująca u ludzi empatia — powiedziała Irmgard.

— ...że mężczyźni i kobiety w całym Układzie Słonecznym stają się jednością. Ale jednością, którą steruje tak zwany telepatyczny głos „Mercera". Zapamiętajcie to. Jakiś ambitny przyszły Hitler mógłby...

— Nie, to empatia — z ożywieniem oznajmiła Irmgard. Zaciskając pięści, ruszyła do kuchni, do Isidore'a. — Czy to nie dowodzi, że ludzie mogą zrobić coś, czego my nie możemy? Ponieważ bez doświadczenia Mercera mamy tylko wasze słowo na to, że czujecie tę waszą empatię, to wspólne, grupowe przeżycie. Jak się ma pająk? — Pochyliła się nad ramieniem Pris.

Pris odcięła nożyczkami następną nogę.

— Zostały cztery — oznajmiła. — Nie chce chodzić. A przecież może.

W drzwiach pojawił się Roy Baty. Oddychał głęboko. Na jego twarzy malowało się spełnienie.

— Zrobione. Buster powiedział to i prawie każdy człowiek w Układzie Słonecznym usłyszał jego słowa: „Merceryzm jest oszustwem". Całe to empatyczne doświadczenie jest oszustwem. — Podszedł bliżej i z zaciekawieniem popatrzył na pająka.

— Nie chce chodzić — oświadczyła Irmgard.

— Mogę go zmusić. — Roy Baty wziął pudełko zapałek i zapalił jedną. Podsuwał ją do pająka, coraz bliżej i bliżej, aż wreszcie stworzenie zaczęło odpełzać na bok.

— Miałam rację — oświadczyła Irmgard. — Nie mówiłam, że może chodzić, mając tylko cztery nogi? — Popatrzyła wyczekująco na Isidore'a. — Co ci jest? — Dotknęła jego ramienia i powiedziała: — Niczego nie straciłeś. Zapłacimy tyle, ile... jak to się nazywa?... ile podaje katalog Sidneya. Nie bądź taki smutny. Czy to nie ciekawe, co odkryli na temat Mercera? Te badania? Hej, odpowiedz. — Szturchnęła go zaniepokojona.

— Jest przygnębiony — rzekła Pris — bo ma skrzynkę empatyczną. W drugim pokoju. Korzystasz z niej, J.R.? — spytała Isidore'a.

— Oczywiście, że korzysta — odpowiedział Roy Baty. — Wszyscy to robią... Albo robili. Teraz może zaczną się zastanawiać.

— Nie przypuszczam, aby to był koniec kultu Mercera — powiedziała Pris. — Ale w tej właśnie chwili wiele ludzkich istot cierpi. Czekaliśmy na to od wielu miesięcy — zwróciła się do Isidore'a. — Wiedzieliśmy, że to nastąpi, ta rewelacja Bustera. — Zawahała się. — No cóż, czemu nie — dodała po chwili. — Buster jest jednym z nas.

— Jest androidem — wyjaśniła Irmgard. — I nikt o tym nie wie. To znaczy żaden człowiek.

Pris obcięła pająkowi kolejną nogę. John Isidore natychmiast odepchnął ją i wziął do ręki umęczone stworzenie. Zaniósł je do zlewu i utopił. Czuł przy tym, jak toną także jego nadzieje. Równie szybko jak pająk.

— Jest naprawdę zmartwiony — zauważyła wyraźnie zdenerwowana Irmgard. — Nie rób takiej miny, J.R. I dlaczego nic nie mówisz? To mnie strasznie smuci — zwróciła się do Pris i męża — kiedy tak stoi przy zlewie i milczy. Nie powiedział ani słowa, odkąd włączyliśmy telewizor.

— Jemu nie chodzi o telewizję, ale o pająka — wyjaśniła Pris. — Prawda, Johnie R. Isidore? Przejdzie mu — powiedziała do Irmgard, która wyszła do drugiego pokoju, żeby wyłączyć telewizor.

Roy Baty przyglądał się z rozbawieniem Isidore'owi.

— Wszystko się już skończyło, Iz — odezwał się w końcu. — Myślę o merceryzmie. — Gwoździem wyjął ze zlewu martwego pająka. — Może to był ostatni — powiedział. — Ostatni żywy pająk na Ziemi. — Zamyślił się. — W takim razie z pająkami także już koniec.

— Ja... nie czuję się najlepiej — rzekł Isidore. Z szafki kuchennej wyjął kubek. Stał przez jakiś czas, nie wiedział jak długo. A potem odezwał się do Roya Baty'ego: — Czy niebo za Mercerem jest tylko pomalowane? Nieprawdziwe?

— Widziałeś zbliżenie w telewizorze — odparł Roy Baty. — Ślady pędzla.

— Merceryzm nie jest skończony — odparł Isidore. Coś niepokoiło te trzy androidy, coś straszliwego. Pająk, pomyślał. Może, jak powiedział Roy Baty, był to ostatni pająk na Ziemi. I pająka już nie ma. Mercera nie ma. Zobaczył kurz i zniszczenie rozprzestrzeniające się po całym mieszkaniu — słyszał nadciąganie chłamu, ostateczny rozpad wszystkich form, nieobecność, która wreszcie wygra. Narastała wokół niego, gdy tak stał, trzymając w ręku pusty fajansowy kubek. Szafy w kuchni trzasnęły i pękły. Przewrócił się, gdy zapadła się pod nim podłoga.

Wyciągnął rękę i dotknął ściany. Jego dłoń przebiła jej powierzchnię. Szare cząsteczki tynku osypały się niczym radioaktywny pył na zewnątrz. Usiadł przy stole i puste w środku nogi krzesła wygięły się pod nim jak spróchniałe. Wstał szybko, odstawił kubek i spróbował naprawić krzesło, przywrócić mu dawny kształt. Krzesło jednak rozpadło się w jego rękach, śruby łączące poszczególne części wysunęły się i wisiały teraz luźno. Zobaczył, jak stojący na stole kubek pęka, jak pokrywa go siatka drobnych pęknięć niby cień dzikiego wina, a potem z krawędzi kubka odpadł kawałek polewy, odsłaniając nierówne wnętrze.

— Co on robi?! — usłyszał dobiegający go z oddali głos Irmgard Baty. — Wszystko niszczy! Isidore, przestań...!

— Wcale tego nie robię — odpowiedział. Niepewnym krokiem przeszedł do saloniku. Stanął przy obszarpanej sofie i spojrzał na żółtą, brudną ścianę, na wszystkie plamy pozostawione przez pełzające po niej od wielu już lat martwe owady, i znowu pomyślał o truchełku pająka z trzema pozostałymi nogami. Wszystko tutaj jest stare, pomyślał. Dawno temu zaczęło się rozkładać i nic już tego nie powstrzyma. Truchło pająka opanowało wszystko. W zagłębieniu zapadniętej podłogi pojawiły się szczątki zwierząt. Głowa wrony, zmumifikowane łapy, które kiedyś mogły należeć do małpy. Nieco z boku stał osioł, nieruchomy, mimo to najwyraźniej żywy, przynajmniej nie zaczął się jeszcze rozkładać. Isidore ruszył ku niemu, czując, jak pod podeszwami jego butów pękają niczym patyki suche kości. Zanim jednak podszedł do osła — jednego ze stworzeń, które kochał najbardziej — z góry spadła lśniąca granatem wrona, która usiadła na pysku zwierzęcia. „Nie" — powiedział na głos, ale wrona szybko wydziobała osłu oczy. Znowu, pomyślał. Znowu mi się to przydarza. Będę tu, w dole, bardzo długo, uświadomił sobie. Jak poprzednio. Zawsze trwa to długo, bo nic się tu nie zmienia. Nadchodzi moment, kiedy nawet nie ulega rozkładowi.

Zaszeleścił suchy wiatr i wokół niego zaczęły rozsypywać się stosy kości. W tym stadium nawet wiatr je niszczy, uświadomił sobie. Za chwilę ustanie czas. Chciałbym pamiętać, jak mogę się stąd wydostać, pomyślał. Spojrzał w górę i nie zobaczył nic, czego mógłby się uchwycić.

— Mercer — powiedział głośno. — Gdzie teraz jesteś? To świat grobów i znowu w nim jestem, ale tym razem nie ma ciebie.

Coś mu wpełzło na stopę. Ukląkł i zaczął szukać — znalazł, bo poruszało się bardzo wolno. Był to okaleczony pająk, posuwający się niepewnie na pozostałych nogach. Podniósł go i położył w zagłębieniu dłoni. Kości, uświadomił sobie, zaczęły się zmieniać, pająk znowu żyje. Mercer musi być w pobliżu.

Wiatr wiał i pod jego tchnieniem pozostałe kości pękały i rozsypywały się, ale Isidore czuł obecność Mercera. Chodź tu, powiedział do niego. Wpełznij na moją stopę albo znajdź inny sposób, aby do mnie dotrzeć. Dobrze. Mercer, pomyślał. Powiedział na głos:

— Mercer!

Przez otaczający krajobraz nadchodziły rośliny, wkręcały się w ściany i drążyły je do czasu, aż stały się własnym nasieniem. Nasiono napęczniało, pękło i eksplodowało wewnątrz przerdzewiałej stali i odłamków betonu, które niegdyś były ścianami. Ale gdy zniknęły już ściany, pozostała pustka. Pustka następowała po wszystkim innym. Poza kruchą, niewyraźną postacią Mercera. Starzec stał przed nim z pogodnym wyrazem twarzy.

— Czy niebo jest namalowane? — zapytał Isidore. — Czy rzeczywiście na zbliżeniu widać ślady pędzla?

— Tak — odparł Mercer.

— Nie dostrzegłem ich.

— Byłeś zbyt blisko. Musiałbyś się znaleźć bardzo daleko, tak jak androidy. Mają lepszą perspektywę.

— Czy dlatego twierdzą, że jesteś oszustwem?

— Jestem oszustwem — odparł Mercer. — Są szczere, ich badania są prawdziwe. Z ich punktu widzenia jestem wiekowym emerytowanym statystą, który nazywa się Al Jarry. Wszystko w ich demistyfikacji jest prawdą. Przeprowadziły ze mną wywiad, tak jak twierdzą. Powiedziałem im wszystko, co chciały wiedzieć, całą ich prawdę.

— Również o whisky?

Mercer uśmiechnął się.

— To też była prawda. Wykonały dobrą robotę i z ich punktu widzenia rewelacja Przyjacielskiego Bustera jest przekonująca.

Będą miały kłopoty ze zrozumieniem, dlaczego nic się nie zmienia. Ponieważ ty wciąż jesteś tutaj i ja wciąż tu jestem. — Mercer zatoczył ręką łuk, wskazując nagie zbocze wzgórza, całe to dobrze znane miejsce. — Właśnie wydobyłem cię ze świata grobów i będę to robił dopóty, dopóki nie przestanie cię to ciekawić i zechcesz zrezygnować. Ale będziesz musiał przestać mnie szukać, bo ja nigdy nie przestanę szukać ciebie.

— Nie podobała mi się ta historia z whisky — powiedział Isidore. — To poniżające.

— Uważasz tak dlatego, że sam jesteś bardzo moralny. A ja nie. Nie osądzam, nawet siebie. — Mercer wyciągnął ku górze rękę z zaciśniętą pięścią. — Zanim zapomnę... Mam tu coś twojego. — Rozchylił palce. Na jego dłoni leżał okaleczony pająk, ale jego obcięte nogi były znowu na swoim miejscu.

— Dziękuję. — Isidore wziął od niego pająka. Zaczął mówić coś jeszcze...

Zajazgotał dzwonek alarmowy.

— W budynku jest łowca! — warknął Roy Baty. — Zgaście światło. Odciągnijcie go od skrzynki empatycznej, musi być gotów przy drzwiach. Dalej — ruszcie go!

Rozdział XIX

John Isidore spojrzał w dół i zobaczył własne dłonie — ściskały dwa uchwyty skrzynki empatycznej. Kiedy stał, patrząc na nie, światło w jego saloniku zgasło. Dostrzegł, że w kuchni Pris szybko łapie stojącą na stole lampę.

— Posłuchaj, J.R. — szepnęła mu ostro do ucha rozgorączkowana Irmgard. Schwyciła go gwałtownie za ramię, wbijając mu paznokcie w skórę. Wyglądała, jakby zupełnie nie zdawała sobie sprawy, co robi. W mdłym świetle padającym z zewnątrz jej twarz była zniekształcona, niewyraźna. — Kiedy zastuka, jeżeli zastuka — szepnęła — będziesz musiał podejść do drzwi. Pokażesz mu swój dowód rejestracyjny i powiesz, że to twoje mieszkanie i nikogo poza tobą tu nie ma. I każ mu przedstawić nakaz.

Pris, która stała po jego drugiej stronie, szepnęła:

— Nie pozwól mu wejść, J.R. Nie mów nic, zrób wszystko, żeby go powstrzymać. Wiesz, co łowca może zrobić, kiedy tu wpadnie? Czy wiesz, co może z nami zrobić?

Isidore odsunął się od dwóch żeńskich androidów i po omacku odnalazł drogę do drzwi. Namacał klamkę i zatrzymał się, nasłuchując. Czuł, że ciągnący się za drzwiami korytarz jak zawsze jest pusty, dudniący echem i bez życia.

— Słyszysz coś? — zapytał Roy Baty, pochylając się ku niemu, aż Isidore poczuł woń jego cuchnącego, skulonego ciała i strachu, płynącego odeń jak mgła. — Wyjdź i rozejrzyj się.

Isidore otworzył drzwi i rozejrzał się po słabo oświetlonym korytarzu. Powietrze na zewnątrz było właściwie czyste, mimo osadu pyłu. Wciąż trzymał w dłoni pająka, którego dostał od Mercera. Czy to rzeczywiście był ten sam pająk, którego Pris okaleczyła nożyczkami do paznokci Irmgard Baty? Zapewne nie. Nigdy się tego nie dowie. W każdym razie ten żył, pełzał w jego zamkniętej dłoni, nie gryząc go. Jak u większości małych pająków, jego szczęki nie mogły przebić ludzkiej skóry.

Dotarł do końca korytarza, zszedł po schodach i znalazł się na czymś, co było kiedyś ogrodową ścieżką. Ogród został zniszczony w czasie wojny, a betonowe płyty popękały w tysiącach miejsc. Ale znał powierzchnię, czuł ją pod stopami i szedł po niej wzdłuż budynku, aż dotarł do jedynego zielonego miejsca w okolicy, skrawka okrytych pyłem przywiędłych chwastów. Tam też wypuścił pająka. Poczuł dotknięcie odnóży, kiedy stworzenie schodziło mu z dłoni. Cóż, to było to. Wyprostował się.

Na chwastach spoczął promień latarki i w jego blasku na wpół martwe rośliny zaczęły sprawiać groźne wrażenie. Isidore dostrzegł pająka, który przysiadł na ząbkowanym liściu. A więc udało mu się wydostać.

— Co pan zrobił? — zapytał mężczyzna trzymający latarkę.

— Wypuściłem pająka — odparł, zastanawiając się, dlaczego mężczyzna tego nie widzi. W żółtym świetle pająk wydawał się ogromny. — Żeby mógł sobie pójść.

— Dlaczego nie zabrał go pan do mieszkania? Mógłby go pan trzymać w słoiku. Według styczniowego Sidneya wartość pająków wzrosła o dziesięć procent. Mógłby pan dostać za niego ponad sto dolarów.

— Gdybym go zabrał — odparł Isidore — znowu by go pokroiła. Na kawałki, żeby zobaczyć, co się stanie.

— Androidy tak już mają — stwierdził mężczyzna. Sięgnął do kieszeni płaszcza, wydobył coś, otworzył i wyciągnął w stronę Isidore'a.

W niezbyt silnym świetle łowca wyglądał przeciętnie, nie robił jakiegoś imponującego wrażenia. Okrągła twarz bez zarostu, regularne rysy — przypominał urzędnika. Metodyczny, ale o swobodnym sposobie bycia. Wcale nie był półbogiem, jak spodziewał się Isidore.

— Jestem śledczym z Wydziału Policji San Francisco. Nazywam się Deckard, Rick Deckard. — Mężczyzna zamknął legitymację i włożył z powrotem do kieszeni płaszcza. — Są tam na górze? Cała trójka?

— No cóż, są — odparł Isidore. — Opiekuję się nimi. Dwa są kobietami. Ostatnimi z całej grupy, pozostałe nie żyją. Przyniosłem telewizor Pris z jej mieszkania i wstawiłem do swojego, żeby mogli obejrzeć Przyjacielskiego Bustera. Buster udowodnił ponad wszelką wątpliwość, że Mercer nie istnieje. — Isidore czuł podniecenie, zdając sobie sprawę, że wie coś ważnego: nowość, z której łowca nie zdawał sobie sprawy.

— Chodźmy na górę — rzekł Deckard. Nagle okazało się, że trzyma w ręku pistolet laserowy wycelowany w Isidore'a. Po chwili, niezdecydowany, schował go. — Jesteś specjalem, prawda? — zapytał. — Kurzym móżdżkiem?

— Ale mam pracę. Prowadzę ciężarówkę... — Z przerażeniem uświadomił sobie, że zapomniał nazwy. — ...kliniki dla zwierząt — oznajmił. — Szpital dla Zwierząt Van Nessa — dodał. — J-j-jego właścicielem jest Hannibal Sloat.

— Zaprowadzisz mnie na górę i pokażesz, w którym są mieszkaniu? — zapytał Deckard. — Jest tu ponad tysiąc lokali, zaoszczędziłbyś mi mnóstwo czasu. — W jego głosie słychać było zmęczenie.

— Jeżeli je pan zabije, nie będę mógł znowu zespolić się z Mercerem — odparł Isidore.

— Nie zaprowadzisz mnie? Wskaż mi tylko piętro. Sam ustalę, które to mieszkanie.

— Nie — oświadczył Isidore.

— Na podstawie prawa stanowego i federalnego... — zaczął Deckard, nagle jednak przerwał. — Dobranoc — rzucił i odszedł ścieżką w stronę budynku. Na ścieżkę pod jego stopami padało żółte światło latarki.

Rick Deckard zgasił latarkę i szedł korytarzem, kierując się światłem wpuszczonych w ścianę słabych żarówek. Myślał. Kurzy móżdżek wiedział, że są androidami, zanim mu powiedziałem. Ale nie zrozumiał. Ale z drugiej strony, któż rozumie? Czy ja rozumiem? Czy rozumiałem? A jeden z nich będzie repliką Rachael, przypomniał sobie. Może specjal z nią żył. Ciekawe, jak mu się to podobało? Może to ona, według niego, pokroiła pająka? Mógłbym wrócić i zabrać tego pająka, pomyślał. Nigdy nie znalazłem żywego dziko żyjącego zwierzęcia. To musi być wspaniałe wrażenie opuścić wzrok i zobaczyć coś biegnącego po ziemi. Może coś takiego spotka kiedyś i mnie.

Ustawił przyniesione z samochodu urządzenie podsłuchowe z obrotowym ryjkiem wykrywacza i ekranem oscyloskopowym. Na korytarzu panowała głucha cisza, ekran był martwy. Nie na tym piętrze, pomyślał. Przełączył na przeszukiwanie w pionie. Na tej osi aparatura zarejestrowała słaby sygnał. Na górze. Wziął wykrywacz oraz teczkę i wszedł po schodach na następne piętro.

W cieniu stała jakaś postać.

— Jeżeli się ruszysz, usunę cię — ostrzegł Rick.

Czekał na niego mężczyzna. Deckard czuł w dłoni twardy kształt lasera, ale nie mógł unieść i wycelować broni. Został zaskoczony, mężczyzna pojawił się znikąd.

— Nie jestem androidem — rzekła postać. — Nazywam się Mercer. — Wszedł w krąg światła. — Znalazłem się w tym budynku ze względu na pana Isidore'a. Specjala, który miał pająka. Rozmawiał pan z nim krótko przed domem.

— Czy zostanę wykluczony z merceryzmu? — spytał Rick. — Tak jak powiedział kurzy móżdżek? Ze względu na to, co zrobię za kilka minut?

— Pan Isidore mówił w swoim, nie w moim imieniu. To, co pan zrobi, musi zostać zrobione. Już to powiedziałem. — Uniósł rękę i wskazał schody za Rickiem. — Przyszedłem powiedzieć, że jedno z nich jest za panem i niżej, a nie w mieszkaniu. Jest najgroźniejsze z całej trójki i musi pan je usunąć w pierwszej kolejności. — W szeleszczącym starczym głosie nagle pojawił się zapał. — Szybko, panie Deckard. Na schodach.

Z wysuniętym pistoletem Rick obrócił się gwałtownie i przykucnął, spoglądając na schody. Pod górę posuwistym krokiem szła kobieta. Kierowała się w jego stronę. Znał ją. Poznał i opuścił pistolet.

— Rachael — odezwał się zaskoczony. Pojechała za nim swoim hoverem, śledziła go aż tutaj? Ale dlaczego? — Wracaj do Seattle — powiedział. — Zostaw mnie w spokoju. Mercer mi powiedział, że mam to zrobić. — I wtedy zobaczył, że niezupełnie przypomina Rachael.

— Jesteśmy dla siebie stworzeni — powiedział android, zbliżając się do niego z rękami wyciągniętymi tak, jakby chciał go objąć. Ubranie, pomyślał, jest inne. Ale oczy, takie same oczy. I jest więcej takich jak ona, może cały legion, a każda ma własne imię, lecz wszystkie są Rachael Rosen — a prototyp Rachael producent wykorzystuje do ochrony pozostałych. Wystrzelił do niej, gdy rzuciła się ku niemu. Android eksplodował i jego części rozleciały się na wszystkie strony. Deckard zasłonił ramieniem twarz, a gdy je opuścił, zobaczył jej pistolet laserowy toczący się po schodach. Metalowy przedmiot spadał, odbijając się od stopni, z coraz wolniejszym i słabnącym echem. Mercer powiedział, że z nią będzie najtrudniej z całej trójki. Rozejrzał się, szukając Mercera. Starzec zniknął. Rachael Rosen mogą mnie prześladować, póki nie umrę albo ten model nie stanie się przestarzały. A teraz pozostałe dwa, pomyślał. Mercer powiedział, że jednego z nich nie ma w mieszkaniu. Mercer mnie chronił, uświadomił sobie. Objawił się i pomógł. Ona... to... załatwiłoby mnie, powiedział do siebie, gdyby mnie nie ostrzegł. Teraz mogę odpocząć, uświadomił sobie. To był ten niemożliwy moment — wiedziała, że nie mogę tego zrobić. Ale już po wszystkim. Dzięki instynktowi. Zrobiłem coś, czego nie mogłem zrobić. Batych zlokalizuję, korzystając ze zwykłej procedury. Będzie z nimi trudno, ale nie aż tak jak z tym.

Stał sam w pustym korytarzu. Mercer opuścił go, bo już zrobił to, po co przyszedł. Rachael — właściwie Pris Stratton — została zastrzelona i nie zostało już nic, tylko on. Ale gdzieś w tym budynku czekało dwoje Batych. Wiedzieli. Domyślali się, co zrobił. Może właśnie opadł ich strach. To była ich reakcja na jego obecność w budynku. Ich próba zamachu. Gdyby nie Mercer, mogłoby im się udać. Teraz jednak zbliżał się ich koniec.

Muszę zrobić to, po co tu przyszedłem, uświadomił sobie. Ruszył szybko korytarzem i natychmiast jego aparatura zarejestrowała aktywność mózgową. Odnalazł ich mieszkanie. Nie potrzebował już elektroniki. Odłożył urządzenie i zastukał do drzwi.

Z mieszkania dobiegł męski głos:

— Kto tam?

— Tu Isidore — odpowiedział Rick. — Proszę mnie wpuścić, bo o-o-piekuję się panem i tymi dwoma kobietami.

— Nie otwieramy drzwi — odparła kobieta.

— Chcę obejrzeć Przyjacielskiego Bustera w telewizorze Pris — oznajmił Rick. — Teraz, kiedy udowodnił, że Mercer nie istnieje, koniecznie należy go oglądać. Prowadzę ciężarówkę dla Szpitala dla Zwierząt Van Nessa należącego do pana Hannibala S-s-sloata. — Zaczął się jąkać. — O-o-tworzycie mi drzwi? T-t-to moje mieszkanie. — Po chwili drzwi się otworzyły. W mrocznym mieszkaniu dostrzegł dwie niewyraźne postacie.

Drobniejsza, kobieca, powiedziała:

— Musi pan przeprowadzić testy.

— Za późno — odparł Rick. Wyższa postać próbowała zatrzasnąć drzwi i włączyć jakieś elektroniczne urządzenie. — Nie — oznajmił Deckard. — Muszę wejść. — Pozwolił Royowi Baty'emu wystrzelić, ale sam nie odpowiedział ogniem. Zrobił unik i poczekał, aż promień lasera przejdzie tuż obok niego. — Strzelając do mnie, utraciłeś ochronę prawną — oświadczył. — Powinieneś mnie zmusić do przeprowadzenia testu Voigta-Kampffa. Ale teraz nie ma to już znaczenia. — Po raz drugi Roy Baty wystrzelił i chybił. Rzucił broń i pobiegł w głąb mieszkania, do innego pokoju i być może pozostawionego tam elektronicznego oprzyrządowania.

— Dlaczego Pris cię nie załatwiła? — spytała Irmgard Baty.

— Nie ma żadnej Pris — odpowiedział. — Jest tylko Rachael Rosen. Zawsze i ciągle. — W jej niewyraźnie majaczącej dłoni dostrzegł laser. Musiał go jej podać Roy Baty. Chciał zwabić Ricka w głąb mieszkania, żeby Irmgard mogła zaatakować od tyłu, strzelić mu w plecy. — Bardzo mi przykro, pani Baty — oświadczył Rick i usunął ją.

Ukryty w drugim pokoju Roy Baty wrzasnął rozpaczliwie.

— Dobra, kochałeś ją — powiedział Rick. — A ja kochałem Rachael. A specjal kochał tę drugą Rachael. — Zastrzelił Baty'ego. Ciało wielkiego mężczyzny szarpnęło się i przewróciło jak zbyt wysoki stos kruchych przedmiotów. Runęło na stół kuchenny, pociągając za sobą talerze i sztućce. Obwody nerwowe sprawiły, że przez jakiś czas drgało jeszcze i szarpało się w skurczach, w końcu jednak umarło. Rick nie zwracał na nie uwagi, nie spoglądał ani na nie, ani na zwłoki Irmgard Baty przy drzwiach wejściowych. Dostałem ostatniego, uświadomił sobie Rick. Sześć jednego dnia, niemal rekord. A teraz wszystko się już skończyło i mogę wrócić do domu, do Iran i kozy. I będziemy od razu mieli dosyć pieniędzy.

Opadł na sofę i kiedy tak siedział w ciszy, pomiędzy nieruchomymi przedmiotami, w drzwiach zjawił się Isidore.

— Lepiej nie patrz — ostrzegł go Rick.

— Widziałem ją na schodach. Pris. — Specjal płakał.

— Nie przejmuj się tym tak bardzo. — Deckard wstał niepewnie, z trudem. — Gdzie masz telefon?

Specjal nie odpowiedział. Po prostu stał nieruchomo. A więc Rick sam znalazł telefon i zadzwonił do biura Harry'ego Bryanta.

Rozdział XX

— Dobrze — oświadczył Harry Bryant, wysłuchawszy Ricka. — No cóż, idź trochę odpocząć. Wyślemy samochód patrolowy, żeby zabrał te trzy ciała.

Rick Deckard odłożył słuchawkę.

— Androidy są głupie — powiedział z wściekłością do specjala. — Roy Baty nie potrafił odróżnić mnie od ciebie. Myślał, że to ty stoisz za drzwiami. Policja tu sprzątnie. Może będzie lepiej, jeżeli przeniesiesz się do innego mieszkania, zanim skończą? Nie chciałbym siedzieć tu między tymi szczątkami.

— W-w-wyprowadzam się stąd — odpowiedział Isidore. — B-b-będę mieszkał bliżej centrum, tam, gdzie jest w-w-więcej ludzi.

— Wydaje mi się, że w moim budynku jest wolne mieszkanie — rzekł Rick.

— N-n-nie chcę m-m-mieszkać niedaleko pana — wyjąkał Isidore.

— Wyjdź na zewnątrz albo na górę — poradził Rick. — Nie zostawaj tutaj.

Specjal zmieszał się, nie wiedząc, co począć. Na jego twarzy pojawiło się mnóstwo niewysłowionych uczuć, aż wreszcie odwrócił się i powłócząc nogami, wyszedł z mieszkania, zostawiając Ricka samego.

I to właśnie moja praca, pomyślał Rick. Jestem plagą, jak głód lub zaraza. W ślad za mną idzie odwieczna klątwa. Tak jak powiedział Mercer — moim przeznaczeniem jest czynić zło. Wszystko, co zrobiłem, od samego początku było złe. W każdym razie pora wracać do domu. Może jeśli pobędę trochę z Iran, zdołam zapomnieć.

Kiedy wrócił do domu, Iran przywitała go na dachu. Spoglądała na niego dziwnie rozkojarzona. Przez wszystkie lata ich małżeństwa nie widział jej w takim stanie.

Objął ją i powiedział:

— Już po wszystkim. I zastanawiałem się... Może Harry Bryant będzie mógł mnie przenieść...

— Rick — przerwała mu — muszę ci coś powiedzieć. Bardzo mi przykro. Koza nie żyje.

Z jakiegoś powodu nie był tym wcale zaskoczony. Wiadomość sprawiła jedynie, że poczuł się gorzej. Ciężar napierający na niego ze wszystkich stron jeszcze się zwiększył. — Mam wrażenie, że w umowie jest gwarancja — powiedział. — Jeżeli zachoruje w ciągu dziewięćdziesięciu dni od zakupu, sprzedawca...

— Nie zachorowała. Ktoś... — Iran odchrząknęła i mówiła dalej ochrypłym głosem: — Ktoś tu przyleciał, wyciągnął kozę z klatki i zawlókł ją na krawędź dachu.

— I zepchnął? — zapytał.

— Tak. — Skinęła głową.

— Widziałaś, kto to był?

— Bardzo wyraźnie — odparła Iran. — Barbour jeszcze się tu kręcił. Zszedł na dół i zawołał mnie. Wezwaliśmy policję, ale zanim przyjechała, zwierzę nie żyło, a ona odleciała. Drobna dziewczyna o ciemnych włosach i dużych czarnych oczach, bardzo szczupła. Była w długim, łuskowatym płaszczu. Miała torbę wielką jak u listonosza. I wcale się nie kryła. Jakby jej nie zależało.

— Tak, nie zależało jej — powiedział. — Rachael nic nie obchodziło, czy ją zobaczysz. Pewnie chciała, byś ją zobaczyła, żebym wiedział, kto to zrobił. — Pocałował ją. — Czekałaś tu na mnie cały czas?

— Tylko pół godziny. Wtedy właśnie się to stało, pół godziny temu. — Iran delikatnie oddała mu pocałunek. — To takie straszne. Takie bezsensowne.

Zawrócił do swojego hovera, otworzył drzwi i usiadł za kierownicą.

— Wcale nie bezsensowne — odparł. — Zrobiła coś, co według niej miało sens. — Sens dla androida, pomyślał.

— Dokąd jedziesz? Dlaczego nie zjedziesz na dół i... nie pobędziesz ze mną? Telewizja podała wstrząsającą wiadomość. Przyjacielski Buster twierdzi, że Mercer to oszustwo. Co o tym myślisz, Rick? Czy to może być prawda?

— Wszystko jest prawdą — odparł. — Wszystko, co ktokolwiek kiedykolwiek pomyślał. — Włączył silnik.

— Nic ci się nie stanie?

— Nic mi się nie stanie — odpowiedział i pomyślał, że ma zamiar umrzeć. Ale zarazem jedno i drugie jest prawdziwe. Zamknął drzwi, pomachał ręką Iran i wzbił się w nocne niebo.

Kiedyś, pomyślał, mógłbym dostrzec gwiazdy. Ale teraz jest już tylko pył. Od lat nikt nie widział gwiazd, przynajmniej z Ziemi. Może polecę gdzieś, skąd widać gwiazdy, pomyślał, a tymczasem hover nabierał prędkości i wznosił się coraz wyżej. Oddalał się od San Francisco, zmierzając w stronę pustkowi na północy. Do miejsca, gdzie nie podążyłaby żadna żywa istota. Chyba że poczułaby, że nadchodzi koniec.

Rozdział XXI

We wczesnoporannym świetle widniejąca w dole szara, pokryta
śmieciem ziemia zdawała się rozpościerać w nieskończoność.
Kamienie wielkości domu tu właśnie przestały się toczyć i teraz
leżały obok siebie. Rick pomyślał, że przypomina to magazyn,
z którego zabrano cały towar. Zostały tylko fragmenty opako-
wań, pudła, które same w sobie nic nie znaczą. Kiedyś, pomyślał,
rosło tu zboże i pasły się zwierzęta. Cóż za niezwykły pomysł,
że coś mogłoby właśnie tutaj skubać trawę.

Jakie dziwne miejsce, pomyślał, żeby umrzeć.

Zniżył hovera i przez chwilę leciał nad samą powierzchnią.
Co powiedziałby o mnie Dave Holden? — zadał sobie pytanie.
Po prawdzie jestem teraz największym żyjącym łowcą. Nikt dotąd nie usunął sześciu Nexusów-6 w dwadzieścia cztery godziny i zapewne nikomu już się to nie uda. Powinienem do niego
zadzwonić, pomyślał.

Pojawiło się przed nim usiane głazami zbocze i musiał poderwać hovera. Jestem zmęczony, pomyślał. Nie powinienem tak długo prowadzić. Wyłączył zapłon, przez jakiś czas opadał lotem ślizgowym i wreszcie posadził pojazd na ziemi. Hover chwilę jechał w górę zbocza, podskakując i rozrzucając na boki kamienie, aż wreszcie zatrzymał się ze zgrzytem.

Deckard podniósł słuchawkę samochodowego wideofonu i połączył się z centralą w San Francisco.

— Ze szpitalem Mount Zion — zażądał.

Na ekranie natychmiast pojawiła się następna telefonistka.

— Szpital Mount Zion.

— Macie pacjenta o nazwisku Dave Holden — powiedział Rick. — Czy mógłbym z nim mówić? Czuje się na to dość dobrze?

— Proszę chwilę poczekać, zaraz sprawdzę. — Ekran pociemniał. Czas mijał. Rick wziął szczyptę tabaki Dr. Johnson i wzdrygnął się. Przy wyłączonym ogrzewaniu temperatura w hoverze zaczęła gwałtownie spadać. — Doktor Costa nie pozwala panu Holdenowi rozmawiać — oznajmiła telefonistka, pojawiwszy się znowu na ekranie.

— To sprawa służbowa — rzekł, zbliżając legitymację do kamery.

— Chwilę. — Telefonistka znowu zniknęła. Rick wziął następną szczyptę tabaki. O tak wczesnej porze mentol, który zawierała, wydał mu się bardzo nieprzyjemny. Opuścił okno i wyrzucił małe żółte pudełeczko między kamienie.

— Nie, proszę pana — odezwała sie wreszcie telefonistka. — Doktor Costa nie uważa, by stan pana Holdena pozwalał mu na prowadzenie rozmów, bez względu na ich wagę, co najmniej przez...

— Dobrze — uciął Rick. Odłożył słuchawkę.

Powietrze na zewnątrz cuchnęło, więc zamknął okno. Dave naprawdę jest wyłączony, uświadomił sobie. Ciekawe, dlaczego nie udało im się mnie załatwić. Ponieważ działałem zbyt szybko, doszedł do wniosku. Wszystkie jednego dnia. Nie spodziewały się tego. Harry Bryant miał rację.

W samochodzie było już wręcz lodowato. Otworzył drzwi i wyszedł na zewnątrz. Raptowny podmuch niezdrowego powietrza przeniknął pod ubranie, Deckard zaczął więc spacerować, zacierając ręce.

Rozmowa z Dave'em sprawiłaby mi przyjemność, pomyślał. Dave na pewno zaaprobowałby to, co zrobiłem. Ale musiałby zrozumieć i drugą sprawę, której jak sądzę nawet Mercer nie pojmuje. Dla Mercera wszystko jest łatwe, pomyślał, bo on akceptuje wszystko. Nic nie jest mu obce. Ale to, co zrobiłem, pomyślał, stało się obce mnie. W gruncie rzeczy wszystko wokół mnie stało się nienaturalne, a ja stałem się nienaturalnym samym sobą.

Ruszył w górę zbocza. Z każdym krokiem przytłaczający go ciężar narastał. Jestem zbyt zmęczony, pomyślał, żeby się wspinać. Stanął i starł żrący pot spływający mu do oczu, słone łzy wydalane przez skórę, przez całe bolące ciało. A potem, zły na siebie, splunął na bezpłodną ziemię. Splunął z gniewem i pogardą dla własnego ja, z bezmierną nienawiścią. A potem znowu podjął wędrówkę w górę zbocza, po pustej, nieznanej ziemi, daleki od wszystkiego. Nie było tu nic żywego poza nim samym.

Upał. Robiło się coraz goręcej, najwidoczniej minął już jakiś czas. I poczuł głód. Nie jadł od Bóg wie kiedy. Głód i upał łączyły się ze sobą, ich trujący smak przypominał klęskę. Tak, pomyślał, klęskę. W jakiś niepojęty sposób zostałem zwyciężony. Przez to, że zabiłem androidy? Przez to, że Rachael zabiła moją kozę?

Nie wiedział, ale w miarę jak szedł, jego umysł spowił słaby i niemal niewyczuwalny całun. W pewnej chwili, nie wiedząc jak to się stało, znalazł się o krok od urwiska. Upadek z niego niemal na pewno byłby śmiertelny. Upadek upokarzający i beznadziejny, pomyślał, w dół i w dół i żadnego świadka. Nie było tu nikogo, kto mógłby zobaczyć jego lub czyjąś inną kompletną degradację lub odwagę czy dumę, które mogły się tutaj objawić. Martwe kamienie, pokryte pyłem suche, umierające trawy — nie wiedzące nic, nie przypominające sobie niczego ani o nim, ani o sobie.

Nagle w okolicę pachwiny trafił go pierwszy kamień — i wcale nie była to guma ani miękka plastykowa pianka. Zawładnęły nim niczym nie zamaskowane ból i zrozumienie, że jest całkiem sam i cierpi.

Zatrzymał się. Po chwili jednak, nakłaniany przez coś niewidocznego, lecz prawdziwego i nieodpartego, znów podjął wspinaczkę. Toczę się do góry jak kamienie. Robię to samo co kamienie, bez własnej woli, nie nadając temu jakiegokolwiek znaczenia.

— Mercer — powiedział, dysząc. Zatrzymał się. Przed sobą dostrzegł mglistą, nieruchomą postać. — Wilburze Mercerze, czy to ty? — Mój Boże, pomyślał, to przecież mój cień. Muszę się stąd wydostać, zejść ze wzgórza!

Pośpiesznie ruszył w dół. Upadł. Chmury pyłu przesłoniły wszystko i zaczął przed nimi uciekać. Biegł coraz szybciej, ślizgając się i potykając na luźnych kamykach. Nagle zobaczył swojego hovera. Wróciłem na dół, powiedział do siebie. Zszedłem ze wzgórza. Szarpnięciem otworzył drzwi maszyny i wsunął się do środka. Kto rzucił we mnie kamieniem? — zadał sobie pytanie. Nikt. Ale dlaczego mnie to w ogóle obchodzi? Przecież już to przeżywałem, w czasie zespolenia. Kiedy jak każdy inny korzystałem ze skrzynki empatycznej. To nic nowego. A jednak było to czymś nowym. Ponieważ, pomyślał, zrobiłem to sam.

Dygocąc, wyjął ze schowka nową puszkę z tabaką. Zdjął ochronną taśmę i wciągnął solidną szczyptę. Siedział w pojeździe z nogami na zewnątrz, opierając stopy na suchej, zapylonej ziemi. Było to ostatnie miejsce, do którego można było pojechać, uświadomił sobie. Nie powinienem był tu przyjeżdżać. I nagle zorientował się, że jest zbyt zmęczony, by wrócić.

Gdybym mógł porozmawiać z Dave'em, pomyślał, wszystko byłoby dobrze. Mógłbym wydostać się stąd, polecieć do domu i pójść do łóżka. Wciąż mam owcę i wciąż mam pracę. Będzie jeszcze więcej andków do usunięcia, moja kariera jeszcze się nie zakończyła. Jeszcze nie usunąłem ostatniego istniejącego andka. Może o to właśnie chodzi, pomyślał. Obawiam się, że nie ma ich już więcej.

Spojrzał na zegarek. Była dziewiąta trzydzieści.

Podniósł słuchawkę wideofonu i wybrał numer Pałacu Sprawiedliwości przy Lombard Street.

— Chciałbym mówić z inspektorem Bryantem — powiedział do panny Wild, telefonistki z policyjnej centrali.

— Inspektora Bryanta nie ma w gabinecie, panie Deckard — usłyszał. — Wyjechał swoim hoverem, ale nie mogę się z nim połączyć. Musiał chwilowo opuścić pojazd.

— Mówił, dokąd się wybiera?

— Mówił coś o androidach, które usunął pan ubiegłej nocy.

— Może porozmawiam ze swoją sekretarką — powiedział.

Chwilę później na ekranie pojawiła się pomarańczowa trójkątna twarz Ann Martin.

— Och, panie Deckard, inspektor Bryant chciał z panem mówić. Mam wrażenie, że zamierza wspomnieć o panu komisarzowi Cutterowi, aby udzielił panu pochwały. Ponieważ usunął pan te trzy...

— Wiem, co zrobiłem — powiedział Deckard.

— To się nigdy dotąd nie zdarzyło. Aha, jeszcze jedno, panie Deckard. Dzwoniła pańska żona. Chciała wiedzieć, czy u pana wszystko w porządku. Czy wszystko u pana w porządku?

Nie odpowiedział.

— Może jednak — odezwała się panna Marsten — powinien pan do niej zadzwonić i porozmawiać. Zostawiła wiadomość, że będzie cały czas w domu czekać na wiadomość od pana.

— Słyszała pani o mojej kozie? — zapytał.

— Nie. Nawet nie wiedziałam, że ma pan kozę.

— Zabrali mi ją — powiedział Rick.

— Kto to zrobił, panie Deckard? Złodzieje zwierząt? Właśnie otrzymaliśmy meldunek o nowym wielkim gangu, zapewne nastolatków, działającym w...

— Złodzieje życia — odparł.

— Nie rozumiem, panie Deckard. — Panna Marsten spojrzała na niego uważnie. — Panie Deckard, wygląda pan koszmarnie. Musi pan być strasznie zmęczony. I... mój Boże... pański policzek krwawi.

Uniósł rękę i poczuł pod palcami krew. To pewnie kamień. Najwidoczniej trafił go nie tylko ten jeden.

— Wygląda pan jak Wilbur Mercer — stwierdziła panna Marsten.

— Jestem nim — powiedział. — Jestem Wilburem Mercerem. Jestem z nim zespolony na stałe. I nie mogę tego zerwać. Siedzę tu i czekam, aż tak się stanie. Gdzieś niedaleko granicy Oregonu.

— Czy mamy kogoś wysłać? Wóz z wydziału, żeby pana stamtąd zabrał?

— Nie — powiedział. — Już nie pracuję w wydziale.

— Najwyraźniej zbyt wiele pan wczoraj pracował, panie Deckard — rzekła uspokajającym tonem. — Musi pan przede wszystkim położyć się do łóżka i odpocząć. Jest pan naszym najlepszym łowcą, najlepszym, jakiego kiedykolwiek mieliśmy. Powtórzę inspektorowi Bryantowi, kiedy wróci, a pan niech jedzie do domu i kładzie się do łóżka. Proszę zaraz zadzwonić do żony, panie Deckard, bo ona strasznie, ale to strasznie się martwi. Widziałam. Oboje jesteście w okropnym stanie.

— To z powodu mojej kozy, a nie androidów — oznajmił. — Rachael nie miała racji, usunięcie ich nie sprawiło mi najmniejszych kłopotów. I specjal też się mylił, mówiąc, że nie uda mi się ponownie zespolić z Mercerem. I tylko Mercer miał rację.

— Lepiej niech pan wraca do Strefy Zatoki, panie Deckard. Tam, gdzie są ludzie. Przecież w pobliżu Oregonu nie ma nic żywego, prawda? Czy nie jest pan sam?

— To dziwne — rzekł Rick. — Mam całkowite, zupełnie realne wrażenie, że stałem się Mercerem i ludzie rzucali we mnie kamieniami. Ale nie takie, jak wtedy, gdy trzymamy uchwyty skrzynki empatycznej. Korzystając ze skrzynki, ma się uczucie, że jest się z Mercerem. Różnica polega na tym, że nie byłem z nikim. Byłem sam.

— Obecnie mówi się, że Mercer jest oszustwem.

— Mercer nie jest oszustwem — zaprzeczył. — Chyba że realność jest oszustwem. — To wzgórze, pomyślał. Pył i mnóstwo kamieni, każdy inny od pozostałych. — Obawiam się — powiedział — że nie mogę przestać być Mercerem. Kiedy już raz się zacznie, jest za późno, żeby się wycofać. — Czy znów będę musiał

wspinać się na wzgórze? — zastanawiał się. Zawsze, jak Mercer...
uwięziony przez wieczność. — Do widzenia — powiedział, zamierzając przerwać połączenie.

— Zadzwoni pan do żony? Obiecuje pan?

— Tak. — Skinął głową. — Dziękuję, Ann. — Odłożył słuchawkę. Położyć się do łóżka i odpocząć. Ostatni raz poszedłem do
łóżka z Rachael. Pogwałcenie przepisu. Spółkowanie z androidem, całkowicie sprzeczne z prawem, zarówno tutaj, jak i w koloniach. Musiała już wrócić do Seattle. Do pozostałych Rosenów,
prawdziwych i humanoidalnych. Chciałbym zrobić z tobą to, co
zrobiłaś ze mną. Ale nie mogę tego zrobić androidowi, bo one
o to nie dbają. Gdybym cię zabił ubiegłej nocy, moja koza by żyła. Wtedy właśnie podjąłem niewłaściwą decyzję. Tak, pomyślał,
wszystko można prześledzić do tego właśnie momentu, gdy poszedłem z tobą do łóżka. W każdym razie pod jednym względem
miałaś rację: to mnie zmieniło. Ale nie tak, jak przewidywałaś.

O wiele gorzej, uznał.

A jednak tak naprawdę nie dbam o to. Już nie. Nie po tym,
co się zdarzyło tam pod szczytem wzgórza. Ciekawe, co zdarzyłoby się potem, gdybym dalej się wspinał i dotarł do szczytu.
Tam właśnie objawiał się triumf Mercera i tam kończy się wielki,
wieczny cykl.

Lecz jeśli to ja jestem Mercerem, pomyślał, nie będę mógł
umrzeć przez dziesięć tysięcy lat. M e r c e r j e s t n i e ś m i e r -
t e l n y.

Ponownie uniósł słuchawkę, żeby zadzwonić do żony.

I znieruchomiał.

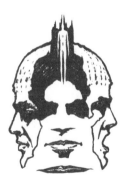

Rozdział XXII

Odłożył słuchawkę, nie spuszczając wzroku z miejsca, w którym coś się poruszyło. Maleńki wzgórek pomiędzy kamieniami. Zwierzę, pomyślał. Poczuł, jak zaczyna bić nadmiernie obciążone serce. Wiem, co to jest, uświadomił sobie. Nigdy przedtem tego nie widziałem, ale znam ze starych filmów przyrodniczych, które wyświetlają w rządowej telewizji.

— Są wymarłe! — powiedział do siebie. Szybko wydobył pogniecionego Sidneya i zaczął przewracać strony trzęsącymi się palcami.

ROPUCHY (*Bufonidae*), wszystkie odmiany…

Wymarłe od wielu lat. Stworzenia szczególnie drogie Wilburowi Mercerowi, podobnie jak osły. Ale ropuchy przede wszystkim.

Muszę mieć pudełko. Obejrzał się, ale na tylnym siedzeniu nie było niczego odpowiedniego. Wyskoczył z hovera, podbiegł do bagażnika i otworzył go. Trzymał tam zapasową pompę paliwową w kartonowym pudle. Wyjął pompę, znalazł trochę pakuł i wolno poszedł ku stworzeniu, nie spuszczając z niego oczu. Dostrzegł, że ropucha zlewa się całkowicie z ziemią i wszechobecnym pyłem. Być może ewoluowała, przystosowując się do nowego klimatu, tak jak przystosowywała się do wszystkich dotychczasowych. Gdyby się nie poruszyła, nigdy by jej nie dostrzegł, mimo że siedziała zaledwie dwa metry od niego. Co się dzieje, jeśli człowiek znajdzie… kiedy znajdzie… zwierzę uznane za wymarłe? – zastanowił się, próbując sobie przypomnieć. Zdarzało się to niezmiernie rzadko. Chyba Gwiazda Zasługi od Narodów Zjednoczonych i stypendium. Milion dolarów nagrody. I na dodatek odnalazł stworzenie najświętsze dla Mercera. Jezu, pomyślał, niemożliwe! Może to skutek uszkodzenia mózgu przez promieniowanie radioaktywne? Jestem specjalem, pomyślał. Coś mi się stało. Tak jak temu kurzemu móżdżkowi Isidore'owi i pająkowi. To, co przydarzyło się jemu, przytrafiło się i mnie. Czy to sprawka Mercera? Ale ja jestem Mercerem, to moja sprawka. Znalazłem ropuchę. Znalazłem ją, bo patrzę oczyma Mercera.

Przykucnął obok ropuchy. Rozkopała żwir, żeby choć częściowo się ukryć, i przesuwając zadem, wzbiła pył, który na nią opadł. Nad powierzchnią ziemi sterczał więc jedynie czubek jej płaskiej głowy i oczy. Jej przemiana materii niemal ustała, stworzenie jakby zapadło w trans. Oczy nie błyszczały, nie rejestrowały jego obecności i Rick z przerażeniem pomyślał: zmarła, może z pragnienia. Ale w końcu się poruszyła.

Odstawił karton i zaczął ostrożnie odgarniać piasek z ropuchy. Nie sprzeciwiała się, bo rzecz jasna nie zdawała sobie sprawy z jego obecności.

Podniósł ją. Była chłodna. W dłoniach Ricka jej ciało wydawało się suche i pomarszczone, niemal zwiotczałe — i tak zimne, jakby żyła w grocie wiele mil pod ziemią, daleko od słońca. Ropucha się poruszyła, słabymi tylnymi łapami usiłując wyswobodzić się z jego uścisku — instynktownie pragnęła uciec. Bardzo wielka, pomyślał Rick, wyrośnięta i mądra. Na swój sposób zdolna przeżyć, choć nawet nam niezbyt się to udaje. Ciekawe, gdzie znajdzie wodę, aby złożyć skrzek.

A więc to właśnie widzi Mercer, pomyślał, starannie obwiązując sznurkiem karton, owijając go raz za razem. Życie, którego nie możemy już dostrzec, życie starannie ukryte aż po czubek głowy w trupie martwego świata. W każdym okruchu żużla we wszechświecie Mercer dostrzega zapewne niewidoczne objawy życia. Teraz wiem, pomyślał. I skoro już raz popatrzyłem oczyma Mercera, pewnie nigdy nie przestanę.

I żaden android, pomyślał, nie obetnie nóg temu stworzeniu jak pająkowi kurzego móżdżka.

Położył pieczołowicie obwiązane pudełko na siedzeniu hovera i usiadł za sterami. To tak, jakbym znowu był dzieckiem, pomyślał. Poczuł, że spada z niego cały ciężar, straszliwe, przygniatające zmęczenie. Poczekaj, aż Iran o tym usłyszy. Chwycił słuchawkę i zaczął wybierać numer. Nagle jednak przerwał. Zrobię jej niespodziankę, postanowił. Powrotny lot do domu zajmie mi tylko trzydzieści—czterdzieści minut.

Z zapałem włączył silnik i wkrótce wzbił się w niebo. Leciał w stronę San Francisco, leżącego o siedemset mil na południe.

Iran Deckard siedziała przy modyfikatorze nastroju Penfielda, dotykając tarczy numerycznej wskazującym palcem prawej ręki.

Nie wybierała jednak numeru. Czuła się nazbyt bezsilna i słaba, żeby robić cokolwiek. Przytłoczona ciężarem odgradzającym ją od przyszłości i możliwości, które ona niesie. Gdyby Rick był tutaj, pomyślała, zmusiłby mnie, żebym wybrała 3, dzięki czemu przyszłaby mi ochota na coś istotnego: jeżeli nie na radość, to może na 888, pragnienie oglądania telewizji bez względu na to, co jest wyświetlane. Ciekawe, co jest wyświetlane, pomyślała. I znowu zaczęła się zastanawiać, gdzie się podział Rick. Może szybko wróci, a może nie, powiedziała do siebie i poczuła, jak pod wpływem mijającego czasu kurczą się jej kości.

Ktoś zastukał do drzwi.

Odłożyła instrukcję modyfikatora Penfielda i zerwała się, myśląc, że nie musi już wybierać, że już wszystko załatwione — jeśli to Rick. Podbiegła do drzwi i otworzyła je szeroko.

— Cześć — odezwał się. Stał przed nią z rozciętym policzkiem, w zmiętym ubraniu, szarym od kurzu, który osiadł mu nawet na włosach. Dłonie, twarz... pył pokrywał całe jego ciało, z wyjątkiem oczu, które płonęły zachwytem jak u małego chłopca. Wygląda, pomyślała, jakby do tej pory udawał, a teraz nadeszła pora, żeby zakończyć grę i wrócić do domu. Odpocząć, umyć się i opowiedzieć o cudownych wydarzeniach dnia.

— Cieszę się, że cię widzę — rzekła.

— Mam coś. — W obu rękach trzymał jakiś karton. Nie odstawił go, odkąd wszedł do mieszkania. Zupełnie, pomyślała, jakby było w nim coś zbyt kruchego i cennego, żeby się z tym rozstać. Nie chciał tego nawet na chwilę wypuścić z rąk.

— Zrobię kawę — powiedziała. Podeszła do piecyka, przycisnęła guzik „kawa" i po chwili postawiła na stole przed krzesłem Ricka ogromny kubek. Usiadł, nie wypuszczając pudełka, a na jego twarzy w dalszym ciągu malowało się to radosne zdziwienie.

Nigdy jeszcze nie widziała, żeby był równie podniecony. Odkąd widziała go po raz ostatni, coś musiało się mu przydarzyć. Od ubiegłej nocy, kiedy odleciał hoverem. A teraz wrócił i przyniósł to pudełko. Trzymał w nim wszystko, co się mu zdarzyło.

— Teraz będę spał — oznajmił. — Cały dzień. Zadzwoniłem do Harry'ego Bryanta. Poradził, żebym wziął wolny dzień i odpoczął. I to właśnie mam zamiar zrobić. — Ostrożnie postawił pudełko na stole i sięgnął po kubek. Posłusznie, bo tego sobie życzyła, wypił kawę.

Usiadła naprzeciw niego i zapytała:

— Co masz w tym pudełku, Rick?

— Ropuchę.

— Czy mogę ją zobaczyć? — Przyglądała się, jak rozwiązuje pudełko i zdejmuje pokrywkę. — Och! — zawołała na widok zwierzęcia. Z jakiegoś powodu się przestraszyła. — Czy gryzie? — zapytała.

— Weź ją. Nie ugryzie. Ropuchy nie mają zębów. — Rick podniósł ropuchę i podał Iran. Opanowując odrazę, wzięła stworzenie. — Myślałam, że ropuchy wymarły — powiedziała i obróciła zwierzę do góry brzuchem, zaciekawiona jego kończynami. Miała wrażenie, że są niemal bezużyteczne. — Czy ropuchy skaczą jak żaby? Chodzi mi o to, czy mogłaby niespodziewanie wyskoczyć mi z ręki.

— Ropucha ma słabe kończyny — wyjaśnił Rick. — Właśnie nogi różnią ją od żaby. To i sprawa wody. Żaby żyją w pobliżu wody, ale ropuchy mogą bytować na pustyni. Znalazłem ją właśnie tam, w pobliżu granicy z Oregonem. W miejscu, gdzie wszystko wyginęło. — Wyciągnął rękę po ropuchę. Ale Iran coś odkryła. Wciąż trzymając stworzenie do góry nogami, dotknęła jego brzucha, namacała paznokciem maleńką pokrywę i otworzyła ją.

— Och. — Jego twarz stopniowo posępniała. — Tak. Widzę.
Masz rację. — Przygnębiony patrzył bez słowa na fałszywe zwierzę. Wziął je od Iran i przez chwilę badał jego nogi. Wyglądał na
zupełnie zdezorientowanego — jakby nie do końca mógł zrozumieć. W końcu ostrożnie odłożył ropuchę do pudełka. — Ciekawe, jak dostała się na te pustynne tereny Kalifornii. Ktoś musiał
ją tam podłożyć. Nie mam pojęcia po co.

— Może nie powinnam ci była mówić, że jest elektryczna. —
Położyła mu dłoń na ramieniu. Czuła się winna, widząc, jak się
zmienił na twarzy.

— Nie — odparł Rick. — Dobrze, że wiem. A raczej… — umilkł
na chwilę — …wolę wiedzieć.

— Może byś skorzystał z modyfikatora nastroju? Poczułbyś się
lepiej. Zawsze silnie na ciebie działał, o wiele silniej niż na mnie.

— Wszystko będzie w porządku. — Pokręcił głową, jakby
chciał się z tego otrząsnąć. Wciąż czuł się oszołomiony. — Pająk,
którego Mercer dał Isidore'owi, temu kurzemu móżdżkowi, też
pewnie był sztuczny. Ale to nie ma znaczenia. Elektryczne zwierzęta również mają swoje życie. Chociaż nędzne.

— Wyglądasz, jakbyś przeszedł tysiąc mil — powiedziała.

— To był długi dzień. — Skinął głową.

— Idź do łóżka i wyśpij się.

Popatrzył na nią z nagłym zdziwieniem.

— Wszystko już skończone, prawda? — Miała wrażenie, że
ufnie czeka na jej akceptację. Zupełnie jakby jego odczucia i słowa nie miały znaczenia, jakby im nie dowierzał. Nie były prawdziwe, dopóki ich nie potwierdziła.

— Skończone — powiedziała.

— Boże, cóż za maraton — rzekł Rick. — Kiedy brałem się do
tego zadania, nie sposób było nie skończyć. Trwało to, dopóki

nie dopadłem Batych, a wówczas nagle nie miałem już nic do roboty. I wtedy... — Zawahał się, najwyraźniej zdziwiony tym, co mówi. — To było najgorsze — powiedział. — Skończyłem, ale nie mogłem przestać, bo gdybym przestał, nie pozostałoby mi już nic innego. Miałaś rację, mówiąc, że jestem tylko prymitywnym gliniarzem z prymitywnymi łapami gliniarza.

— Już tak nie myślę — odparła. — Po prostu bardzo mnie cieszy, że jesteś tu, gdzie powinieneś być: w domu. — Pocałowała go i odniosła wrażenie, że sprawiła mu przyjemność. Twarz Ricka rozpromieniła się niemal jak przed tym, gdy pokazała mu, że ropucha jest elektryczna.

— Uważasz, że postąpiłem źle? — zapytał. — Myślę o tym, co zrobiłem dzisiaj.

— Nie.

— Mercer powiedział, że źle, ale mimo wszystko należało to zrobić. Niesamowite. Czasem lepiej zrobić coś złego niż dobrego.

— Ciąży na nas klątwa — powiedziała Iran. — O tym naucza Mercer.

— Pył? — zapytał.

— Zabójcy odnaleźli Mercera, kiedy miał szesnaście lat. Powiedzieli mu wówczas, że nie może cofać czasu i przywracać życia. A więc teraz może tylko podążać z życiem tam gdzie ono — do śmierci. I to zabójcy ciskają kamieniami, to ich dzieło. Wciąż go prześladują. Wszystkich nas, prawdę mówiąc. Czy to jeden z nich rozciął ci do krwi policzek?

— Tak — odparł słabo.

— Pójdziesz teraz do łóżka? Jeśli ustawię modyfikator nastroju na 670?

— A co to daje? — zapytał.

— Zasłużony odpoczynek — odparła Iran.

Wstał i wyprostował się z bólem. Twarz miał senną i pobruż-
dżoną, jakby przez wiele lat toczono na niej tysiące bitew. A potem wolno przeszedł do sypialni. — Dobrze — powiedział. —
Zasłużony odpoczynek. — Wyciągnął się na łóżku i na białe
prześcieradło opadł kurz z jego ubrania i włosów.

Iran nacisnęła guzik modyfikatora nastroju i nagle uświado-
miła sobie, że nie ma takiej potrzeby. Szyby w sypialni zrobiły
się nieprzejrzyste. Szare światło dnia zniknęło.

Leżący na łóżku Rick po chwili już spał.

Stała przy nim chwilę, upewniając się, że nie obudzi się nagle i nie usiądzie na łóżku przerażony czymś, co zrobił tej nocy.
A potem wróciła do kuchni i ponownie usiadła przy stole.

Tuż obok niej elektryczna ropucha chodziła w swoim pudełku,
szeleszcząc pakułami. Iran zastanawiała się, co ona „je" i jak ją
należy konserwować. Uznała, że żywi się pewnie sztucznymi
muchami.

Otworzyła książkę telefoniczną na żółtych stronach i odnala-
zła hasło „zwierząt obsługa, elektryczne". Wybrała numer i kiedy
zgłosiła się ekspedientka, powiedziała:

— Chciałabym zamówić funt sztucznych much, które naprawdę lata-
dę latają i brzęczą.

— Czy to dla elektrycznego żółwia, proszę pani?

— Ropuchy — odparła.

— W takim razie polecałabym nasz mieszany zestaw pełzają-
cych i latających owadów, w którego skład wchodzą...

— Muchy wystarczą — oświadczyła Iran. — Czy dostarczycie
je państwo? Nie chciałabym wychodzić z mieszkania. Mąż śpi
i wolę mieć pewność, że dobrze się czuje.

— Proponuję również — powiedziała sprzedawczyni — aby
kupiła pani dla ropuchy stale odnawiającą się kałużę. Chyba

że jest to ropucha rogata, bo w takim razie radziłabym zestaw zawierający piasek, różnobarwne kamyki i kawałki szczątków organicznych. I jeżeli ma pani zamiar stosować regularne cykle żywieniowe, proponuję, aby zamówiła pani w naszym wydziale technicznym okresowe przeglądy języka. U ropuch to niezmiernie ważne.

— Doskonale — stwierdziła Iran. — Chcę, żeby działała idealnie. Mąż jest do niej bardzo przywiązany. — Podała swój adres i odłożyła słuchawkę.

I czując się o wiele lepiej, zaparzyła sobie wreszcie filiżankę gorącej czarnej kawy.